La méthode Vacanze a Roma *est destinée aux élèves de première année d'italien.*

Longuement expérimentée, d'abord sous forme fragmentaire puis dans sa forme définitive, elle a suscité le plus grand intérêt chez les élèves qui l'ont utilisée et chez les enseignants à qui elle a été présentée.

Simple et vivante, cette méthode entraîne dès le début la participation des élèves, forme leur oreille à la compréhension auditive de dialogues authentiquement italiens, écrits dans la langue usuelle de nos jours.

D'autre part, le matériel que cette méthode emploie (magnétophone, appareil de projection) répond aux besoins actuels. La méthode peut être utilisée en laboratoire, mais elle est tout aussi efficace avec un équipement léger (classe normale pourvue d'un magnétophone accompagné ou non d'un appareil de projection).

DESCRIPTION DE LA MÉTHODE :

Elle comprend :

1 18 dialogues *qui mettent en scène deux jeunes gens et deux jeunes filles en vacances à Rome. Ces dialogues constituent une histoire suivie et présentent des situations de la vie courante. Le vocabulaire utilisé est fondamental, usuel, actif.*

Chaque dialogue est divisé en quinze séquences, chaque séquence étant illustrée par une image montrant les personnages en situation.

2 Des tableaux syntagmatiques *qui présentent les formes et structures fondamentales de la langue italienne. La priorité a été accordée aux éléments linguistiques les plus fréquemment employés en italien oral. Ces tableaux constituent des exercices de présentation-fixation, et permettent à l'élève de composer facilement et de façon naturelle un grand nombre de phrases.*

3 Des exercices structuraux : *à chaque tableau correspondent des exercices de réemploi qui facilitent la mémorisation et des exercices de contrôle signalés par un ● qui permettent de vérifier* si les éléments nouveaux ont été assimilés. Dans ce domaine l'expérimentation a montré que, pour les débutants, les exercices doivent être simples ; aussi a-t-on éliminé les exercices sophistiqués.

4 Des jeux *variés et attrayants qui utilisent les connaissances acquises.*

5 Des images sans paroles (immaginate il dialogo) *qui conduisent les élèves à imaginer un dialogue à partir de situations concrètes ayant des traits communs avec la scène étudiée.*

6 *Un choix de* questions (parliamo insieme) *qui permettent la conversation à partir de la scène et conduisent à l'échange libre entre élèves et professeur. Bien entendu les questionnaires proposés ne sont pas exhaustifs.*

Pour permettre un bain linguistique complet, aucun mot français n'apparaît dans le livre ni dans l'enregistrement fait en Italie par des voix italiennes.

Les différents éléments de la méthode (compréhension auditive des dialogues, leur élucidation, leur reconstitution en partant de l'image, l'écoute avec répétition des tableaux syntagmatiques, les exercices structuraux qui les accompagnent, les jeux), conduisent naturellement et efficacement à l'expression spontanée en italien.

REMERCIEMENTS

Nous remercions Mme De Piaggi et M Benevelli, lecteurs à l'Université de Provence qui ont bien voulu relire le manuscrit, Mme Hurson, Mme Mucci, Mlle Sobel, professeurs au Lycée Marcel Pagnol (Marseille), M Coulomb, professeur au CES Marseille L'Estaque, Mme Miniconi, professeur au CES de Gardanne, Mlle Pisani, professeur au CES de Carqueiranne, qui nous ont aidés au stade de l'expérimentation, M Marchetti, professeur au Lycée Marcel Pagnol, qui a participé à la correction des épreuves.

Nous avons suivi avec profit :

— le stage audio-oral de Nice organisé par l'Inspection Générale d'italien et M Baude, Inspecteur de l'Académie de Nice,

— au CRDP de Marseille, les travaux de la section d'italien animée par MM Focardi et Mucci, professeurs au Lycée Saint-Charles.

Nous sommes reconnaissants à Mme Emma Pizzoni, à M Carlo Rossi Fantonetti, ainsi qu'à M Romano Gordiani, pour l'aide qu'ils nous ont apportée au stade de l'enregistrement.

1 / BUON GIORNO

Marcello	1	Buon giorno. Mi chiamo Marcello.
	2	Sono italiano.
	3	E tu, sei italiano o francese?
Franco	4	Macché francese! Anch'io sono italiano.
	5	Sono milanese.
Marcello	6	Come ti chiami?
Franco	7	Mi chiamo Franco.
	8	Anche tu sei di Milano?
Marcello	9	No, io sono romano.
Paola	10	Ciao, Franco.
Franco		Ciao, cara.
Marcello	11	È milanese questa ragazza?
Franco	12	No, non è milanese. È romana.
	13	Si chiama Paola.
Franco	14	Paola, ecco Marcello.
Paola	15	Buon giorno, Marcello.
Marcello		Piacere.

1	Ecco Buon giorno Ciao	Marcello Franco Paola

2A	io	sono	italiano
	tu	sei	romano
	Marcello Franco questo ragazzo	è	milanese francese

2B	io	sono	italiana
	tu	sei	romana
	Paola questa ragazza	è	milanese francese

3A	sei è	romano italiano milanese francese	?	Sì		sono è	romano italiano milanese francese

3B	sei è	romano italiano milanese francese	?	No	non	sono è	romano italiano milanese francese

4A	Anche	io	sono	italiano
		tu	sei	romano
		Marcello Franco questo ragazzo	è	milanese francese

4B	Anche	io	sono	italiana
		tu	sei	romana
		Paola questa ragazza	è	milanese francese

io	mi chiamo	Franco Marcello	
tu	ti chiami		
questo ragazzo	si chiama		5A

io	mi chiamo	Paola	
tu	ti chiami		
questa ragazza	si chiama		5B

ESERCIZI

1 / 1 / **Ecco Marcello...** / Risposta : **Buon giorno Marcello**
ecco Franco   ecco Paola   ecco Marcello

2 / 1 / **Ecco Paola...** / Risposta : **Ciao, Paola**
ecco Marcello   ecco Franco   ecco Paola

3 / 2A / **italiano...**   Risposta : **Sono italiano**
romano   milanese   francese   italiano

4 / 2A / **italiano...** / Risposta : **Sei italiano** (Cf. esercizio 3)

5 / 2A / **italiano...** / Risposta : **Questo ragazzo è italiano** (Cf. esercizio 3)

6 / 2B / **italiana...** / Risposta : **Sono italiana**
romana   milanese   francese   italiana

7 / 2B / **italiana...** / Risposta : **Sei italiana** (Cf. esercizio 6)

8 / 2B / **italiana...** / Risposta : **Questa ragazza è italiana** (Cf. esercizio 6)

● **9** / 2AB / **questo ragazzo...** / Risposta : **Questo ragazzo è italiano** / **Questa ragazza...** Risposta : **Questa ragazza è italiana**
Paola   Marcello   questo ragazzo   questa ragazza

● **10** / 2AB / **questo ragazzo...** / Risposta : **Questo ragazzo è romano** (Cf. esercizio 9)

● **11** / 2AB / **io...** / Risposta : **Sono milanese**
tu   Franco   questa ragazza   questo ragazzo
questo ragazzo   io   tu   io

● **12** / 2AB / **io...** / Risposta : **Sono francese**
tu   questo ragazzo   tu   questa ragazza
questa ragazza   io   io   io

13 / 3A / **Sei francese?...** / Risposta : **Sì, sono francese** / **È milanese Franco?...** / Risposta : **Sì, Franco è milanese**
è francese questo ragazzo?   è romano Marcello?
è francese questa ragazza?   sei francese?
è italiana Paola?   è italiano Marcello?
è italiano Franco?   è milanese Franco?

14 / 3B / **Sei milanese?...** / Risposta : **No, non sono milanese** / **È italiana questa ragazza?...** Risposta : **No, non è italiana**
è romano Franco?   è di Milano Paola?
sei di Milano?   è francese Paola?
è milanese Paola?   sei milanese?
è francese Marcello?   è italiana questa ragazza?

● **15** / 3AB / **Sei francese?**... / Risposta : **Sì, sono francese** / **È romano Franco?**... / Risposta : **No, Franco non è romano**

sei di Milano?
è romana Paola?
è italiana questa ragazza?
è francese questo ragazzo?
è di Milano questa ragazza?

sei milanese?
è francese questa ragazza?
è francese Paola?
sei francese?
è romano Franco?

● **16** / 4AB / **Sono italiano**... / Risposta : **Anch'io sono italiano** / **Paola è romana**... / Risposta : **Anche Paola è romana** / **Sei milanese**... / Risposta : **Anche tu sei milanese**

sei italiano
sono francese
Franco è milanese
sei francese
questa ragazza è italiana

Marcello è romano
questa ragazza è milanese
sono italiano
Paola è romana
sei milanese.

17 / 5AB / **Paola**... / Risposta : **Mi chiamo Paola** / **Franco**... / Risposta : **Mi chiamo Franco**

Marcello   Franco   Paola

18 / 5AB / **Marcello**... / Risposta : **Ti chiami Marcello** / **Paola**... / Risposta : **Ti chiami Paola**

Franco   Paola   Marcello

19 / 5AB / **Franco**... / Risposta : **Questo ragazzo si chiama Franco** / **Paola**... / Risposta : **Questa ragazza si chiama Paola**

Marcello   Franco   Paola

● **20** / 5AB / **io**... / Risposta : **Mi chiamo Franco** / **tu**... / Risposta : **Ti chiami Franco**

questo ragazzo   tu   anch'io
anche tu   anche questo milanese   tu
questo romano   io   io

● **21** / 5AB / **io**... / Risposta : **Non mi chiamo Paola**

tu   questa romana   quest'italiana
questa ragazza   io   questa milanese
questa francese   tu   io

GIOCHI

1 / Scegliete la buona risposta e ripetetela

Franco è francese	milanese	romano
Paola è milanese	francese	romana
Marcello è italiano	milanese	francese

2 / Ripetete se siete d'accordo. Se non siete d'accordo date la risposta esatta (esempio: **Franco è romano**… / Risposta: **No, Franco non è romano, è milanese** / **Marcello è romano**… / Risposta: **Sì, Marcello è romano.**

Franco è francese	Marcello è milanese	Marcello è italiano
Franco è italiano	Paola è romana	Marcello è romano
Paola è francese	Paola è milanese	Marcello è francese
Franco è milanese	Franco è romano	Paola è francese

PARLIAMO INSIEME

È milanese Franco?
È italiana Paola?
È romano Franco?
È milanese Paola?

È romano Marcello?
È francese Paola?
È italiano Franco?
È romana Paola?

Sei italiano?
È francese questa ragazza?
Sei milanese?
Sei romano?

È milanese questo ragazzo?
È romana questa ragazza?
Anche tu sei francese?
È milanese questa ragazza?

Come ti chiami?
Come si chiama questo ragazzo?
Come si chiama questa ragazza?
Si chiama Paola questa ragazza?

Ti chiami Paola?
Ti chiami Marcello?
Si chiama Franco questo ragazzo?
Ti chiami Franco?

IMMAGINATE IL DIALOGO

2 / PRENDIAMO QUALCOSA?

Franco	1	C'è un caffè qui vicino. Prendiamo qualcosa?
Paola	2	D'accordo; così ci riposiamo un momento.
Marcello	3	Dove ci mettiamo? a questo tavolino?
Paola		Sì, ci sono tre sedie.
Franco	4	Cameriere!
	5	Che cosa prendete?
Paola	6	Io prendo un'aranciata.
Un cameriere	7	Bene, signorina. E per questi signori, un aperitivo?
Marcello	8	Per noi una birra.
Un cameriere	9	Un'aranciata, due birre.
Marcello	10	Siete compagni di scuola tu e Paola?
Franco	11	No, siamo vicini di casa.
Paola	12	Ci ritroviamo per giocare a tennis.
	13	Franco è uno sportivo.
Marcello	14	Sei fortunato Franco. Io non incontro mai ragazze sportive.
Paola	15	Grazie! Marcello. Sei gentile!

io	sono	italiano
tu	sei	romano
questo ragazzo questo signore	è	milanese cameriere
noi	siamo	italiani
voi	siete	romani
questi ragazzi questi signori	sono	milanesi camerieri

1A

io	sono	italiana
tu	sei	romana
questa ragazza questa signora	è	milanese cameriera
noi	siamo	italiane
voi	siete	romane
queste ragazze queste signore	sono	milanesi cameriere

1B

ecco c'è	un	caffè tavolino compagno milanese signore cameriere italiano aperitivo
	uno	sportivo

2A

ecco c'è	una	birra sedia compagna milanese signora cameriera sportiva
	un'	italiana aranciata

2B

C'è	un signore milanese una signora milanese uno sportivo romano un'italiana sportiva	?	Sì	c'è	un signore milanese una signora milanese uno sportivo romano un'italiana sportiva	3A

Ci sono	signori milanesi signore milanesi sportivi romani italiane sportive	?	Sì	ci sono	signori milanesi signore milanesi sportivi romani italiane sportive	3B

incontro incontri incontra incontriamo incontrate incontrano	Paola Franco Marcello	a	Milano Roma scuola		4A

Come	ti chiami si chiama questa ragazza vi chiamate si chiamano questi ragazzi	?	mi chiamo si chiama ci chiamiamo si chiamano	Paola Franco e Marcello	4B

Che cosa	prendi prende · Marcello prendono · Paola e Franco prendete · ragazzi ragazze	?	prendo prende prendono prendiamo	una birra un'aranciata un caffè	5A

Dove	ti metti si mette · Franco si mettono · Paola e Marcello vi mettete · ragazzi ragazze	?	mi metto si mette si mettono ci mettiamo	a questo	tavolino caffè	5B

ESERCIZI

1 / 1A / **italiani**... / Risposta : **Siamo italiani**

| milanesi | francesi | camerieri | romani | italiani |

2 / 1A / **italiani**... / Risposta : **Siete italiani**

| francesi | milanesi | camerieri | romani | italiani |

3 / 1A / **italiani**...   Risposta : **Questi signori sono italiani**

| camerieri | francesi | milanesi | romani | italiani |

● **4** / 1A / **io**...   Risposta : **Sono italiano / Noi**... / Risposta : **Siamo italiani**

voi	io ·	noi	anche noi
tu	voi	questi signori	anche voi
questo signore	questi ragazzi	questi camerieri	anche Franco
noi	anch'io	tu	io

● **5** / 1A / **io**...   Risposta : **Sono milanese** (Cf. esercizio 4)

6 / 1B / **italiane**... / Risposta : **Siamo italiane**

| milanesi | cameriere | francesi | romane | italiane |

7 / 1B / **italiane**...   Risposta : **Siete italiane**

| cameriere | romane | francesi | milanesi | italiane |

8 / 1B / **italiane**... / Risposta : **Queste signore sono italiane**

| cameriere | romane | francesi | milanesi | italiane |

● **9** / 1B / **io**... / Risposta : **Sono romana / Noi**... / Risposta : **Siamo romane**

tu	queste signore	queste cameriere	noi
voi	io	anche noi	voi
questa ragazza	anche tu	questa signora	questa cameriera
noi	questa compagna	voi	io

● **10** / 1B / **io**... / Risposta : **Sono francese** (Cf. esercizio 9)

● **11** / 1A / **Questo compagno è italiano**... / Risposta : **Anche questi compagni sono italiani / Questo cameriere è milanese**... / Risposta : **Anche questi camerieri sono milanesi**

questo compagno è romano	questo cameriere è gentile
questo compagno è sportivo	questo cameriere è francese
questo compagno è fortunato	questo signore è milanese
questo ragazzo è romano	questo signore è francese
questo ragazzo è sportivo	questo compagno è italiano
questo ragazzo è fortunato	questo cameriere è milanese

● **12** / 1A / **Questo signore è romano**... / Risposta : **Anche questi signori sono romani**

questo signore è sportivo	questo signore è italiano
questo ragazzo è milanese	questo compagno è gentile
questo signore è cameriere	questo ragazzo è francese

questo signore è milanese
quest'aperitivo è italiano

questo cameriere è romano
questo signore è romano

● **13** / 1B / **Questa ragazza è italiana...** / Risposta: **Anche queste ragazze sono italiane / Questa milanese è gentile...** / Risposta: **Anche queste milanesi sono gentili**

questa ragazza è sportiva
questa ragazza è romana
questa ragazza è cameriera
questa signora è fortunata
questa signora è sportiva

questa ragazza è fortunata
questa cameriera è romana
questa francese è gentile
questa milanese è gentile
questa ragazza è italiana

● **14** / 1B / **Questa cameriera è gentile...** / Risposta: **Anche queste cameriere sono gentili**

questa ragazza è sportiva
questa milanese è fortunata
questa signora è francese
questa cameriera è romana
questa signorina è milanese

questa compagna è gentile
quest'aranciata è francese
questa francese è sportiva
questa birra è italiana
questa cameriera è gentile

● **15** / 1AB / **Questo compagno è italiano...** / Risposta: **Anche questi compagni sono italiani / Questa milanese è fortunata...** / Risposta: **Anche queste milanesi sono fortunate**

questo ragazzo è sportivo
questa ragazza è sportiva
questo signore è cameriere
questa signora è cameriera
questo milanese è gentile
questa milanese è gentile

questo cameriere è francese
questa cameriera è francese
questo compagno è fortunato
questa compagna è fortunata
questo compagno è italiano
questa milanese è fortunata.

● **16** / 2A / **italiano...** Risposta: **Ecco un italiano / Sportivo...** / Risposta: **Ecco uno sportivo**

aperitivo	tavolino	sportivo romano	signore romano
compagno	caffè	aperitivo italiano	ragazzo gentile
sportivo	milanese	cameriere gentile	ragazzo francese
cameriere	signore	milanese gentile	sportivo francese
signore	sportivo	caffè vicino	italiano

● **17** / 2A / **italiano...** / Risposta: **C'è un italiano** (Cf. esercizio 16)

● **18** / 2B / **italiana...** / Risposta: **Ecco un'italiana / Sportiva...** / Risposta: **Ecco una sportiva**

sedia	signora	sportiva	italiana gentile
compagna	signorina	birra	sportiva romana
scuola	aranciata	signora milanese	italiana

● **19** / 2B / **italiana...** / Risposta: **C'è un'italiana** (Cf. esercizio 18)

● **20** / 2AB / **tavolino...** / Risposta: **Ecco un tavolino / Sedia...** / Risposta: **Ecco una sedia**

aperitivo	caffè	cameriera
ragazza	compagno	sportivo romano
sportivo	signore milanese	signora gentile
birra	italiano	sedia
aranciata	signore	tavolino

esercizi

● **21** / 2AB / **caffè vicino...** / Risposta : **C'è un caffè vicino** (Cf. esercizio 20)

22 / 3B / **tre sedie...** / Risposta : **Ci sono tre sedie**

due birre	due aranciate	camerieri milanesi
sportivi francesi	ragazze romane	due compagne
camerieri italiani	signori fortunati	tre francesi
tre tavolini	aperitivi italiani	tre sedie

23 / 3B / **tre sedie...** / Risposta : **Non ci sono tre sedie** (Cf. esercizio 22)

● **24** / 3AB / **un aperitivo...** / Risposta : **C'è un aperitivo** / **Due birre...** / Risposta : **Ci sono due birre.**

due aperitivi	tre sedie	una scuola	una birra italiana
un caffè vicino	un cameriere	compagni di scuola	un aperitivo
un'italiana	sportivi francesi	tre signori	due birre

● **25** / 4A / **io...** / Risposta : **Incontro Paola a Roma**

tu	voi	Marcello e Franco	tu
Marcello	questi ragazzi	questa francese	noi
questa signora	Franco	io	voi
noi	tu	questo signore	io

● **26** / 4A / **io...** / Risposta : **Non incontro mai Paola** (Cf. esercizio 25)

● **27** / 4A / **io...** / Risposta : **Ritrovo Paola a Milano** (Cf. esercizio 25)

● **28** / 4A / **io...** / Risposta : **Chiamo Paola** (Cf. esercizio 25)

● **29** / 4A / **io...** / Risposta : **Incontro Paola a Roma** / **Milano** / Risposta : **Incontro Paola a Milano**

ritrovo	incontri	Milano	incontrate
tu	noi	voi	a questo caffè
a scuola	ritroviamo	Roma	incontro

● **30** / 4B / **io...** / Risposta : **Mi chiamo Franco**

tu	questo cameriere	questo compagno	tu
questo signore	tu	quest'italiano	io

● **31** / 4B / **noi...** / Risposta : **Ci chiamiamo Franco e Marcello**

questi signori	noi	questi sportivi	questi milanesi
voi	voi	quest'italiani	voi
questi camerieri	questi compagni	voi	noi

● **32** / 4B / **io...** / Risposta : **Mi riposo un momento**

tu	voi	questa signora	tu
Paola	Franco	queste italiane	noi
noi	io	Franco e Paola	voi
queste ragazze	quest'italiani	noi	io

● **33** / 5A / **io...** / Risposta : **Prendo una birra**

Marcello	noi	questa milanese	questa signorina
tu	voi	anche tu	Franco e Marcello
questo signore	questi signori	anche noi	io

34 / 5A / **io...** / Risposta: **Prendo una birra...** / **aranciata...** / Risposta: **Prendo un'aranciata**

caffè	aranciata	voi	anch'io
tu	noi	birra	anche noi
birra	caffè	Franco e Marcello	aperitivo
Paola	aperitivo	caffè	io

35 / 5B / **io...** / Risposta: **Mi metto a questo tavolino**

tu	Paola	Franco e Paola	questo signore
questa ragazza	tu	noi	questa signora
voi	anch'io	questi signori	voi
noi	anche Marcello	tu	io

IMMAGINATE IL DIALOGO

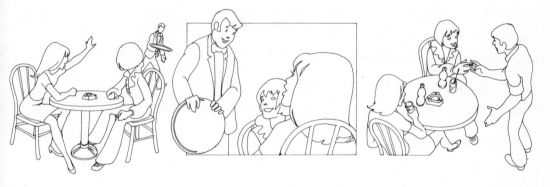

GIOCHI

1 / Scegliete la risposta esatta e ripetetela

ci sono due caffè vicini   c'è un caffè vicino
ci sono due sedie   c'è una sedia   ci sono tre sedie
Paola prende un'aranciata   una birra   un caffè   un aperitivo
c'è una cameriera   c'è un cameriere
Franco e Marcello prendono un caffè   un aperitivo   un'aranciata   una birra
Marcello incontra ragazze sportive   non incontra mai ragazze sportive
Franco e Paola sono compagni di scuola   non sono compagni di scuola
Marcello e Paola sono vicini   non sono vicini
Marcello e Paola si ritrovano per giocare a   non si ritrovano per giocare a tennis
    tennis
Franco e Paola sono sportivi   non sono sportivi
Franco e Paola giocano a tennis   non giocano a tennis

2 / Ripetete se siete d'accordo. Se non siete d'accordo date la risposta esatta. (Esempio: **Paola prende un'aranciata** / Risposta: **sì, Paola prende un'aranciata** / **Paola prende un aperitivo**... / Risposta: **no, Paola non prende un aperitivo, prende un'aranciata**)

questi ragazzi chiamano un cameriere   Franco prende un aperitivo
questi ragazzi sono francesi   Franco gioca a tennis
questi ragazzi prendono tre birre e un'aranciata   Paola è sportiva
c'è un caffè vicino   Marcello e Paola sono vicini
Paola prende una birra   Marcello ritrova Paola per giocare a tennis

PARLIAMO INSIEME

Come si chiamano questi ragazzi?   Sono vicini di casa Paola e Franco?
Prendono qualcosa?   È romana Paola?
Che cosa prendono?   Prende una birra Marcello?
Che cosa prende Paola?   Prende un aperitivo Franco?
Incontra ragazze sportive Franco?   È sportiva Paola?
Incontra ragazze sportive Marcello?   Gioca a tennis Marcello?
Sono compagni di scuola Paola e Franco?   Gioca a tennis Paola?
È milanese Paola?   È romano Marcello?

Sei francese?   Siete compagni di scuola?
Sei romano(a)?   È gentile questo(a) ragazzo(a)?
Sei italiano(a)?   Sono francesi questi(e) ragazzi(e)?
Sei sportivo(a)?   Sono italiani(e) questi(e) ragazzi(e)?
È italiano(a) questo(a) ragazzo(a)?   C'è un caffè vicino?
È francese questo(a) ragazzo(a)?   Siete a scuola?
È sportivo(a) questo(a) ragazzo(a)?   Dove siete?
Siete francesi?   Come ti chiami?
Siete italiani(e)?   Come si chiama questa signorina?
Siete romani(e)?   Come si chiama questo(a) ragazzo(a)?
Siete milanesi?   Incontri ragazzi(e) sportivi(e)?
Siamo a Milano?   Ti chiami Paola?
Siamo a Roma?   Ti chiami Franco?
Dove siamo?   Si chiama Paola questa signorina?

3 / CI VEDIAMO DOMANI?

Paola	1	Anche tu sei sportivo, Marcello?
Marcello	2	Eccome! Seguo tutte le partite di calcio alla televisione.
Franco	3	Allora non sei un vero sportivo.
	4	I veri sportivi preferiscono andare allo stadio.
Marcello	5	Come sei spiritoso! Al liceo sono il portiere della squadra.
Franco	6	Bravo! Io pratico quasi tutti gli sport ma non il calcio. Preferisco il tennis e lo sci.
Paola	7	Marcello, ti piace sciare?
Marcello	8	Sì, ma non sono un campione! Sono più bravo nel nuoto.
Il cameriere	9	Ecco l'aranciata e le birre!
Franco		Grazie. Quant'è?
Il cameriere		400 lire.
Marcello	10	Pago io.
Franco		Per carità, offro io.
Marcello		Grazie.
Paola		Grazie, Franco, sei molto gentile.
Paola	11	Ragazzi, che pensate di quest'idea? Ci vediamo domani a casa mia?
Franco e Marcello	12	Volentieri.
Marcello		Dove abiti?
Paola	13	Abito in Via dello Studente al numero 5.
	14	È un villino bianco. Si chiama l'uccello nero.
Marcello	15	Benissimo. Arrivederci.
Paola		A domani. Arrivederci.
Franco		Ciao.

		il	villino di Paola
		l'	uccello nero
	Preferisco	lo	stadio di Roma
		i	villini di Roma
1A		gli	uccelli neri sportivi studenti

	Seguo Preferisco	la	partita di calcio
		l'	idea di Paola
1B		le	partite di calcio idee di Paola

	Marcello	offri	l'aperitivo	**?**	Sì	offro	volentieri	l'aperitivo
	Ragazzi	offrite	il caffè			offriamo		il caffè
2	Che cosa	offre	Franco	**?**	Franco	offre	la birra	a tutti
		offrono	gli studenti		gli studenti	offrono	l'aranciata	

		preferisci		preferisco	
	Che cosa	preferite	**?**	preferiamo	il tennis lo sci la televisione i licei italiani gli uccelli neri
		preferisce Paola		Paola preferisce	
3		preferiscono le ragazze		le ragazze preferiscono	

	Pago	400 lire	al cameriere
4A	Offro	una birra un caffè l'aperitivo	allo studente all'italiano ai camerieri agli studenti agli italiani

Offro	la birra l'aranciata l'aperitivo il caffè	alla signora alla squadra all'italiana alle signore alle squadre alle italiane	
			4B

Pago	l'aperitivo il caffè l'aranciata la birra	del signore dello studente dell'italiano dei signori degli studenti degli italiani	
			5A

ecco è vedo mi piace preferisco	la casa il villino	della ragazza della studentessa dell'italiana delle ragazze delle italiane delle studentesse	
			5B

ESERCIZI

● 1 / 1A / **Chiamo un cameriere** / Risposta : **Chiamo il cameriere**

chiamo un signore	incontro uno studente	vedo uno sportivo
chiamo un campione	vedo un italiano	prendo un tavolino
chiamo uno studente	vedo un campione	prendo un aperitivo
chiamo un milanese	vedo uno stadio	prendo un uccello
chiamo un cameriere	vedo un villino bianco	prendo un caffè
incontro un milanese	vedo un uccello nero	chiamo un compagno di Franco
incontro un romano	vedo un liceo	chiamo un cameriere

● 2 / 1A / **Preferisco il compagno di Paola**... / Risposta : **Preferisco i compagni di Paola**

preferisco il cameriere romano	preferisco lo studente italiano
preferisco l'uccello nero	preferisco lo sportivo romano
preferisco il villino di Roma	preferisco il liceo francese
preferisco il campione di sci	preferisco il compagno di Paola

● 3 / 1B / **Chiamo una cameriera**... / Risposta : **Chiamo la cameriera**

chiamo una signorina	vedo una casa bianca	seguo un'idea di Paola
prendo un'aranciata	vedo una compagna di Paola	seguo una francese
prendo una birra	offro una birra a Paola	seguo una ragazza italiana
prendo una sedia	offro un'aranciata a Franco	seguo un'italiana
vedo una cameriera	seguo una partita di calcio	chiamo una compagna di Paola
vedo una milanese	seguo una partita di tennis	chiamo una cameriera

● 4 / 1B / **Preferisco la birra francese**... / Risposta : **Preferisco le birre francesi**

preferisco l'aranciata italiana	preferisco la squadra di Milano
preferisco la casa di Roma	preferisco la sportiva italiana
preferisco la partita di calcio	preferisco la scuola francese
preferisco l'idea di Paola	preferisco la signora milanese
preferisco la compagna di Franco	preferisco la birra francese

● 5 / 1AB / **Vedo una casa bianca**... / Risposta : **Vedo la casa bianca**. / **Vedo un villino bianco**... / Risposta : **Vedo il villino bianco**

vedo un francese	vedo una sedia	chiamo una cameriera
vedo una squadra	prendo una birra	chiamo uno studente
vedo un'italiana	prendo un aperitivo	chiamo un'italiana
vedo uno sportivo	prendo un'aranciata	chiamo un compagno di Franco
vedo un uccello	prendo un uccello	chiamo una compagna di Paola
vedo uno stadio	chiamo un italiano	vedo una casa bianca
vedo una milanese	chiamo un cameriere	vedo un villino bianco

● 6 / 1AB / **Vedo il compagno di Paola**... / Risposta : **Vedo i compagni di Paola** / **Vedo la compagna di Franco**... / Risposta : **Vedo le compagne di Franco**

vedo il cameriere milanese	incontro lo studente a Milano
vedo la cameriera milanese	incontro la signorina francese
vedo il campione di sci	incontro la squadra italiana
vedo la squadra di Milano	incontro l'italiana a casa
vedo l'uccello di Paola	vedo il compagno di Paola
vedo la partita di calcio	vedo la compagna di Paola

● **7** / 1AB / **Cameriere, una sedia!...** / Risposta: **Ecco la sedia, signore**

cameriere, un aperitivo!   cameriere, due aperitivi!
cameriere, un'aranciata!   cameriere, due aranciate!
cameriere, un caffè!   cameriere, una sedia!

● **8** / 1AB / **Questa squadra è francese?...** / Risposta: **È la squadra francese**

questo portiere è milanese   questi uccelli sono neri
questi campioni sono italiani   questa cameriera è gentile
queste signore sono romane   questi compagni sono milanesi
queste sportive sono italiane   queste ragazze sono italiane
questi studenti sono spiritosi   questo sportivo è milanese
questo villino è bianco   questa squadra è francese

● **9** / 2 / **io...** / Risposta: **Offro l'aperitivo a tutti**

tu	anch'io	noi	la signora milanese
Marcello	lo sportivo	anche tu	tu
noi	io	gli studenti	questi camerieri
voi	tu	il portiere	gli italiani
questi ragazzi	voi	questo signore	io

● **10** / 2 / **io...** / Risposta: **Offro la birra (l'aranciata, il caffè) a tutti** (Cf. esercizio 9)

● **11** / 2 / **io...** / Risposta: **Seguo la partita alla televisione** (Cf. esercizio 9)

● **12** / 3 / **io...** / Risposta: **Io preferisco andare allo stadio**

tu	gli sportivi	voi	tu
Franco	questo ragazzo	anch'io	questo signore
noi	io	gli studenti	gli italiani
voi	noi	la compagna di Paola	io

● **13** / Sc. 2, 5A / **io...** / Risposta: **Vedo un caffè...** / **Tu...** / Risposta: **Vedi un caffè...** / **Il tavolino...** / Risposta: **Vedi il tavolino**

noi	le sedie	prendete	il tavolino
io	voi	una sedia	noi
voi	tu	tu	una birra

● **14** / Sc. 2, 5A / Sc. 3, 2 e 3 / **io...** / Risposta: **Prendo una birra** / **Marcello...** / Risposta: **Marcello prende una birra**

un caffè	tu	voi	offro
anche noi	preferisco	l'aperitivo	gli studenti
un'aranciata	noi	Franco	la birra

15 / 4A / **Ecco il campione...** / Risposta: **Offro la birra al campione**

ecco il milanese	ecco lo studente romano	ecco il romano
ecco il portiere	ecco il compagno di Paola	ecco lo studente romano
ecco il cameriere	ecco il francese	ecco il campione

16 / 4A / **Ecco il campione...** / Risposta: **Offro l'aranciata (il caffè, l'aperitivo) al campione** (Cf. es. 15)

esercizi

17 / 4A / **Incontro i campioni...** / Risposta : **Offro il caffè ai campioni**

incontro i milanesi	incontro i compagni	incontro i romani
incontro gli italiani	incontro gli sportivi	incontro i francesi
incontro gli studenti	incontro i milanesi	incontro i campioni

18 / 4A / **Incontro i campioni...** / Risposta : **Offro la birra (l'aranciata, l'aperitivo) ai campioni** (Cf. es. 17)

19 / 4B / **Ecco la ragazza...** / Risposta : **Offriamo l'aranciata alla ragazza**

ecco la signora milanese	ecco la sportiva romana	ecco la signora romana
ecco la signorina Paola	ecco l'italiana	ecco la signora francese
ecco la squadra francese	ecco l'italiana gentile	ecco la ragazza

20 / 4B / **Ecco la ragazza...** / Risposta : **Offriamo il caffè (la birra, l'aperitivo) alla ragazza** (Cf. es. 19)

21 / 4B / **Ecco le ragazze...** / Risposta : **Offriamo il caffè alle ragazze**

ecco le signore	ecco le italiane	ecco le signore francesi
ecco le ragazze francesi	ecco le milanesi	ecco le compagne di Paola
ecco le sportive	ecco le italiane gentili	ecco le ragazze

22 / 4B / **Ecco le ragazze...** / Risposta : **Offriamo la birra (l'aperitivo, l'aranciata) alle ragazze** (Cf. es. 21).

● **23** / 4AB / **Compagno...** / Risposta : **Offro il caffè al compagno** / **Compagni...** / Risposta : **Offro il caffè ai compagni**

studenti	ragazzi	signorine	sportiva
italiano	camerieri	studente	francese
signorina	ragazze	signora	compagni
sportivi	sportivo	campione	italiano
squadra	italiana	italiani	compagno

24 / 5A / **È un compagno...** / Risposta : **Pago il caffè del compagno**

è un italiano	è uno sportivo	è un signore milanese
è uno studente	è un campione	è un francese
è un milanese	è uno sportivo romano	è un compagno

25 / 5A / **Sono compagni di scuola** / Risposta : **Pago il caffè dei compagni di scuola**

sono studenti	sono campioni di sci	sono sportivi italiani
sono sportivi	sono francesi	sono italiani
sono milanesi	sono romani	sono compagni di scuola

26 / 5B / **È una compagna...** / Risposta : **Pago la birra della compagna**

è una sportiva	è una ragazza gentile	è una romana
è una signora francese	è una squadra francese	è una compagna milanese
è una signorina romana	è una studentessa	è una compagna

27 / 5B / **Sono compagne di scuola...** / Risposta : **Pago la birra delle compagne di scuola**

sono sportive	sono ragazze romane	sono ragazze francesi
sono signorine francesi	sono signore francesi	sono compagne gentili
sono italiane	sono milanesi	sono compagne di scuola

● **28** / 5AB / **Ecco la squadra…** / **Marcello è il portiere** / Risposta: **Marcello è il portiere della squadra** /
Ecco la casa… Marcello non vede il numero… / Risposta: **Marcello non vede il numero della casa**

ecco la ragazza…pago la birra
ecco l'aranciata…pago le 100 lire
ecco lo studente…pago l'aperitivo
ecco la signorina Paola…pago la birra
ecco il villino…vedo il numero

ecco la via…non vedo il numero
ecco il liceo…vedo lo stadio
ecco la squadra…non vedo il portiere
ecco la squadra…Marcello è il portiere
ecco la casa…Marcello non vede il numero

● **29** / 5AB /**Ecco le ragazze… pago la birra** / Risposta: **Pago la birra delle ragazze** / **Ecco i francesi… pago**
il caffè / Risposta: **Pago il caffè dei francesi**

ecco le aranciate…pago le 400 lire
ecco gli sportivi…pago l'aranciata
ecco le compagne di Franco…pago il caffè
ecco i romani…non vedo il portiere
ecco gli italiani…pago la birra

ecco gli studenti…pago il caffè
ecco le italiane…pago la birra
ecco le italiane…pago le aranciate
ecco le ragazze…pago la birra
ecco i francesi…pago il caffè

30 / 5B / **Preferisco la casa di Paola…** / Risposta: **Mi piace la casa di Paola**

preferisco questo villino
preferisco l'uccello di Paola
preferisco l'idea di Franco
preferisco l'aperitivo
preferisco giocare al calcio
preferisco il nuoto
preferisco il tennis
preferisco Milano

preferisco il caffè italiano
preferisco la birra francese
preferisco guardare la televisione
preferisco la casa di Paola
preferisco Roma
preferisco abitare a Roma
preferisco il villino di Franco
preferisco la casa di Paola

GIOCO

Vero o falso? (Esempio: **Marcello è sportivo**... / Risposta: **Sì, Marcello è sportivo** / **Paola è francese**... Risposta: **No, Paola non è francese.**

Franco gioca al calcio
Paola gioca a tennis
Marcello segue le partite alla televisione
Marcello nuota bene
Franco preferisce il tennis
Marcello è un campione

Franco paga l'aranciata e le birre
Marcello gioca al calcio al liceo
Franco paga trecento lire
Paola abita al numero due
il villino di Paola è bianco
Paola abita in Via dello Studente

PARLIAMO INSIEME

È sportivo Marcello?
Dove segue le partite di calcio?
Che sport preferisce Franco?
È un vero sportivo Franco?
È un campione di sci Marcello?

Gioca al calcio Franco?
Quanto pagano per l'aranciata e le due birre?
Paga Paola?
Chi paga?
Dove abita Paola?

Siete sportivi(e)?
Preferite andare allo stadio o guardare la televisione?
Che cosa preferisce un vero sportivo?
Siete bravi(e) nel nuoto?
Siete bravi nel gioco del calcio?
Sei il portiere della squadra del liceo?
C'è una squadra di calcio in questo liceo?
Siete bravi(e) nello sci?
Abitate in un villino?
Abitate a Roma? a Milano?

Abitate in Francia?
Abitate in Italia?
Vi piace andare al caffè?
Che cosa prendete al caffè?
Preferite la birra o l'aranciata?
Preferite il caffè o l'aperitivo?
Offrite volentieri il caffè ai compagni?
Offrite volentieri l'aranciata alle compagne?
Vi piace la birra?
Vi piace l'aperitivo?
Vi piace l'italiano?

IMMAGINATE IL DIALOGO

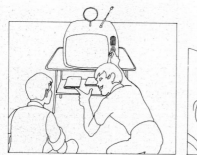  

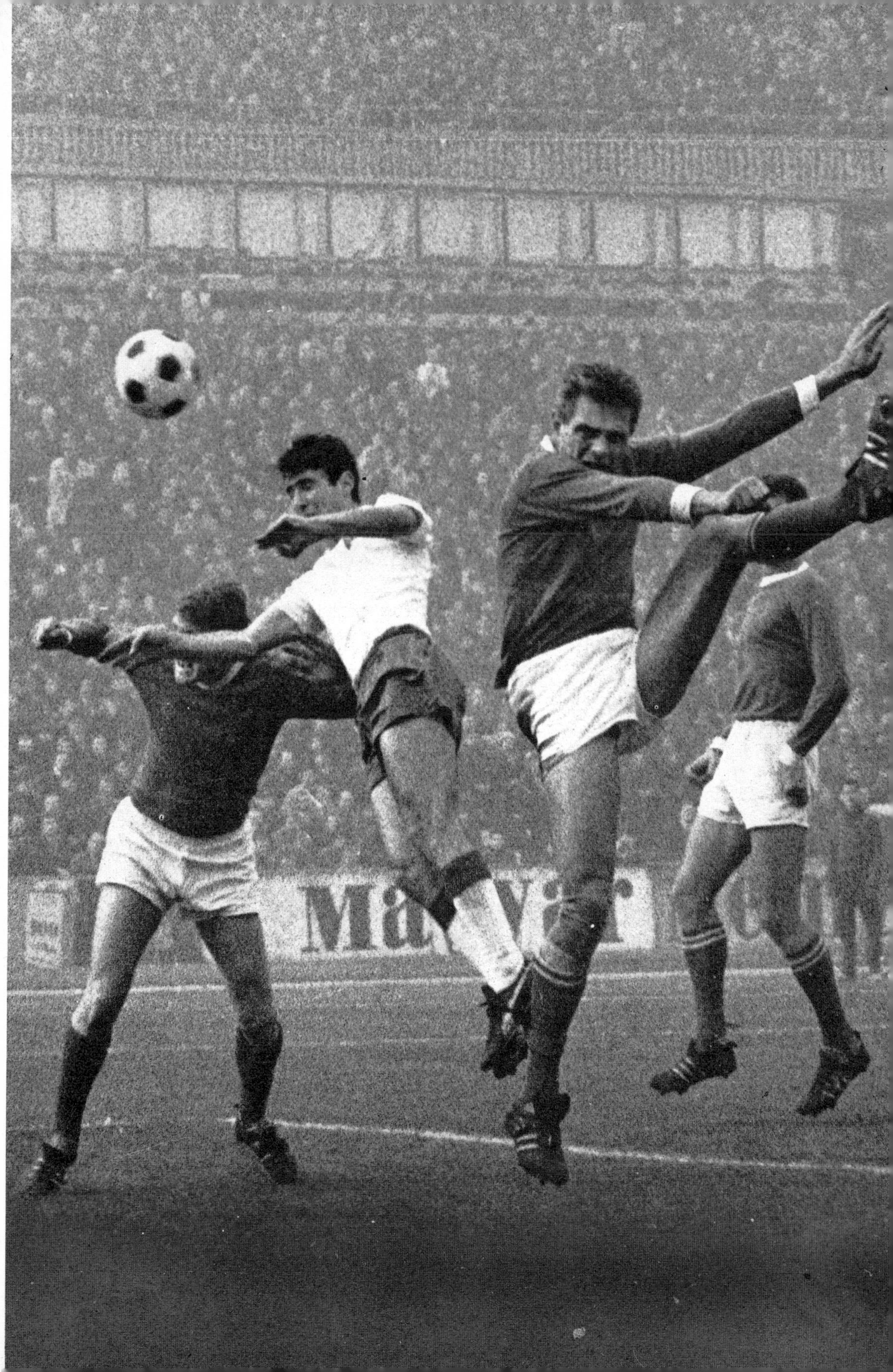

Drin!
Bau! Bau!

Paola	1	Zitto, Brigante, sono i miei amici.
Franco	2	Buona sera.
Paola		Buona sera.
Marcello	3	Com'è simpatico questo cane!
Paola		Hai ragione. È un buon custode.
Marcello	4	Complimenti. Hai una bella casa.
Paola	5	È vero, ti piace la mia casa?
	6	Non è grande, però è comoda.
Marcello	7	Beati voi! Abitate quasi nel centro di Roma e avete il giardino!
Paola	8	Entrate pure. Ecco il soggiorno.
	9	Accomodatevi.
	10	Vi porto subito da bere.
	11	Ma forse preferite un gelato?
Franco	12	Un gelato! Che bell'idea! Non è vero Marcello?
Marcello		Mi piacciono molto i gelati.
Paola	13	Tutto è pronto in cucina.
	14	Scusate. Vi lascio soli un momento. Torno subito.
Il cane		*Bau! Bau!*
Marcello	15	Non siamo soli. C'è il tuo cane.
Franco		Porta il gelato anche per Brigante!

1A

Ecco È	il mio il tuo il suo	amico cane giardino gelato	

ecco sono	i miei i tuoi i suoi	amici cani gelati

1B

Ecco È	la mia la tua la sua	amica casa

ecco sono	le mie le tue le sue	amiche compagne

2

ti vi	piace	il gelato l'amico di Marcello l'amica di Franco questa via il centro di Roma	**?**	Sì	mi ci	piace
ti vi	piacciono	i gelati gli amici di Marcello le amiche di Franco le vie di Milano i cani			mi ci	piacciono

molto

3A

Buon giorno	Marcello,	entra pure!
	Ragazzi,	entrate pure!

Paola,	porta il gelato
Ragazze,	portate i gelati

3B

ecco il soggiorno	accomodati	riposati
	accomodatevi	riposatevi

4

io	ho	il giardino		casa				grande bello
tu	hai							
egli essa	ha		a		però	non	è	
noi	abbiamo			Roma				grande bella comoda
voi	avete	una casa		Milano				
essi esse	hanno							

Che	bel	cane giardino soggiorno gelato			
	bello	stadio	!	Complimenti!	
	bell'	uccello idea			
	bella	casa cucina			5

Com'è	bello simpatico grande piccolo	questo il tuo il suo	cane giardino soggiorno	!	
	bella grande piccola	questa la tua la sua	casa cucina città		6

Dov'è	il mio cane il tuo amico	?	è	nel	giardino soggiorno	di	Franco	
Dove sono	i miei cani i tuoi amici		sono	nella	camera cucina		Paola	7

ESERCIZI

1 / 1A / **Ecco il liceo...** / Risposta : **È il mio liceo**

ecco il compagno	ecco il tavolino	ecco l'uccello	ecco il gelato
ecco l'amico	ecco il cane	ecco il caffè	ecco il villino
ecco il vicino	ecco il giardino	ecco l'aperitivo	ecco il liceo

2 / 1A / **Ecco il liceo...** / Risposta : **È il tuo liceo** (Cf. esercizio 1)

3 / 1A / **Ecco il liceo...** / Risposta : **È il suo liceo** (Cf. esercizio 1)

4 / 1A / **Ecco gli amici...** / Risposta : **Sono i miei amici**

ecco i compagni	ecco i vicini	ecco i cani	ecco gli amici

5 / 1A / **Ecco gli amici...** / Risposta : **Sono i tuoi amici** (Cf. esercizio 4)

6 / 1A / **Ecco gli amici...** / Risposta : **Sono i suoi amici** (Cf. esercizio 4)

●**7** / 1A / **Vedo il mio amico...** / Risposta : **Vedo i miei amici**

vedo il tuo compagno	preferisco il tuo compagno	seguo il mio cane
vedo il mio vicino	chiamo il mio cane	seguo il tuo amico
vedo il suo vicino	chiamo il suo vicino	seguo il suo compagno
vedo il tuo cane	chiamo il tuo cane	seguo il mio compagno
preferisco il tuo cane	chiamo il mio compagno	vedo il suo amico
preferisco il suo vicino	chiamo il suo compagno	vedo il tuo amico
preferisco il mio cane	chiamo il mio amico	vedo il mio amico

8 / 1B / **Ecco la scuola...** / Risposta : **È la mia scuola**

ecco l'amica	ecco la vicina	ecco la cucina	ecco la birra
ecco la compagna	ecco la casa	ecco la sedia	ecco la scuola

9 / 1B / **Ecco la scuola...** / Risposta : **È la tua scuola** (Cf. esercizio 8)

10 / 1B / **Ecco la scuola...** / Risposta : **È la sua scuola** (Cf. esercizio 8)

11 / 1B / **Ecco le amiche...** / Risposta : **Sono le mie amiche**

ecco le compagne	ecco le vicine	ecco le sedie	ecco le amiche

12 / 1B / **Ecco le amiche...** / Risposta : **Sono le tue amiche** (Cf. esercizio 11)

13 / 1B / **Ecco le amiche...** / Risposta : **Sono le sue amiche** (Cf. esercizio 11)

14 / 1B / **Preferisco la mia amica...** / Risposta : **Preferisco le mie amiche**

preferisco la tua amica	vedo la tua compagna	preferisco la mia squadra
preferisco la sua amica	chiamo la tua vicina	vedo la tua amica
vedo la mia compagna	chiamo la sua vicina	vedo la sua vicina
vedo la sua compagna	chiamo la tua amica	preferisco la mia amica

●**15** / 1AB / **La casa è bella...** / Risposta : **La mia casa è bella** / **Il villino è bianco...** / Risposta : **Il mio villino è bianco**

il cane è simpatico	la casa è comoda	la vicina è italiana
la casa è grande	la casa è bianca	l'amica paga l'aperitivo
il villino è piccolo	l'uccello è nero	l'amico preferisce lo sci
il giardino è piccolo	il vicino segue la partita	l'amico paga la birra
il soggiorno è grande	il vicino è francese	ritrovo l'amico al caffè

il liceo è bello
la squadra è brava

il compagno gioca a tennis   la casa è bella
incontro il compagno a scuola il villino è bianco

● **16** / 1AB / **La casa è bella**... / Risposta : **La tua casa è bella** (Cf. esercizio 15)

● **17** / 1AB / **La casa è bella**... / Risposta : **La sua casa è bella** (Cf. esercizio 15)

● **18** / 1AB / **Gli uccelli sono neri**... / Risposta : **I miei uccelli sono neri** / **Le amiche giocano a tennis** /
Risposta : **Le mie amiche giocano a tennis**

i cani sono piccoli   gli aperitivi sono italiani   le compagne abitano a Roma
le amiche sono belle   le compagne sono brave nel nuoto gli aperitivi sono francesi
i compagni sono francesi   i compagni preferiscono il calcio le amiche sono sportive
le compagne sono sportive gli amici abitano al numero 5   gli uccelli sono neri
gli amici sono sportivi   le amiche tornano a Milano   le amiche giocano a tennis

● **19** / 1AB / **Gli uccelli sono neri**... / Risposta : **I tuoi uccelli sono neri** (Cf. esercizio 18)

● **20** / 1AB / **Gli uccelli sono neri**... / Risposta : **I suoi uccelli sono neri** (Cf. esercizio 18)

21 / 2 / **Ti piace il villino di Paola?**... / Risposta : **Sì, mi piace molto**

ti piace il cane di Paola?   ti piace la casa di Paola?
ti piace il gelato di Paola?   ti piace la camera di Paola?
ti piace l'uccello di Paola?   ti piace il caffè italiano?
ti piace la birra francese?   ti piace il villino di Paola?

22 / 2 / **Vi piace il villino di Paola?**... / Risposta : **Sì, ci piace molto** (Cf. esercizio 21)

23 / 2 / **Ti piacciono gli uccelli?**... / Risposta : **Sì, mi piacciono molto**

ti piacciono gli amici?   ti piacciono le amiche di Franco?
ti piacciono i cani?   ti piacciono le idee di Paola?
ti piacciono queste amiche?   ti piacciono gli uccelli?

24 / 2 / **Vi piacciono gli uccelli?**... / Risposta : **Sì, ci piacciono molto** (Cf. esercizio 23)

25 / 2 / **Mi piace questo cane**... / Risposta : **Mi piacciono questi cani**

mi piace l'amica di Franco   mi piace il gelato italiano
mi piace l'aperitivo francese   mi piace questa casa
mi piace questa ragazza   mi piace l'uccello nero
mi piace quest'idea   mi piace il compagno di Marcello
mi piace questo villino   mi piace questo cane

26 / 2 / **Ci piace questo cane**... / Risposta : **Ci piacciono questi cani** (Cf. esercizio 25)

● **27** / 2 / **il caffè**... / Risposta : **Mi piace il caffè** / **Gli uccelli**... / Risposta : **Mi piacciono gli uccelli**

Roma   l'aperitivo   le partite di calcio   il calcio
i cani   Milano   giocare a tennis   il caffè
le ragazze sportive guardare la T.V.   gli aperitivi francesi gli uccelli

● **28** / 2 / **il caffè** / Risposta : **Ci piace il caffè**... (Cf. esercizio 27)

● **29** / 2 / **il caffè**... / Risposta : **Non mi piace il caffè** (Cf. esercizio 27)

● **30** / 3AB / **Porto subito da bere**... / Risposta : **Hai ragione, porta da bere** / **Portiamo subito da bere**... /
Risposta : **Avete ragione, portate da bere**

torno subito a casa   pago subito le birre
torniamo subito a casa   paghiamo subito le birre

esercizi

mi riposo nel soggiorno
ci riposiamo nel soggiorno
lascio subito le amiche
lasciamo subito le amiche
chiamo subito il cameriere
chiamiamo subito il cameriere

lascio subito gli amici
lasciamo subito gli amici
mi riposo un momento
ci riposiamo un momento
porto subito da bere
portiamo subito da bere

31 / 4 / **una casa in centro**... / Risposta : **Ho una casa in centro**

una casa a Roma
una casa a Milano
un cane a casa
un amico romano

il giardino a casa
una bell'idea
una bella casa
due amici italiani

un cane nero
un cane bianco
un uccello
una casa in centro

32 / 4 / **una casa in centro**... / Risposta : **Hai una casa in centro** (Cf. esercizio 31)

33 / 4 / **una casa in centro**... / Risposta : **Paola ha una casa in centro** (Cf. esercizio 31)

34 / 4 / **Ho un amico milanese** / Risposta : **Anche noi abbiamo un amico milanese**

ho un cane bianco
ho un uccello nero
ho un cane nero
ho un giardino a casa
ho degli amici italiani
ho delle amiche milanesi

ho un villino a Roma
ho una casa a Milano
ho un'amica milanese
ho delle idee
ho due amici a scuola
ho un amico milanese

35 / 4 / **Hai un amico milanese**... / Risposta : **Anche voi avete un amico milanese** (Cf. esercizio 34)

36 / 4 / **Questo signore ha un amico milanese**... / Risposta : **Anche questi signori hanno un amico milanese**
(Cf. esercizio 34)

● **37** / 4 / **io**.../ Risposta : **Ho un giardino**

tu
noi
voi
io
il mio amico

tu
le ragazze
noi
io
voi

i miei amici
voi
noi
tu
Paola

questi signori
queste signorine
noi
la mia amica
io

● **38** / 5 / **Ecco il gelato**... / Risposta : **Che bel gelato!**

ecco il cane
ecco il soggiorno
ecco il giardino
ecco il caffè

ecco lo stadio
ecco lo sportivo
ecco lo studente
ecco l'uccello

ecco l'italiano
ecco il villino
ecco il liceo
ecco il gelato

● **39** / 5 / **Ecco la casa**... / Risposta : **Che bella casa!**

ecco la squadra
ecco la via
ecco la milanese

ecco la romana
ecco la cucina
ecco l'idea

ecco l'italiana
ecco la sportiva
ecco la casa

● **40** / 5, 6 / **Com'è bello questo cane!**... / Risposta : **Che bel cane!**

com'è bello questo giardino!
com'è bella questa ragazza!
com'è bello questo stadio!

com'è bello questo ragazzo!
com'è bella questa scuola!
com'è bello quest'uccello!

com'è bella quest'idea!
com'è bello questo sport!
com'è bella questa sportiva!

com'è bello questo romano!
com'è bella quest'italiana!
com'è bello questo cane!

41 / 7 / Dove siamo?... Ecco il centro di Roma... / Risposta: Siamo nel centro di Roma

il soggiorno di Paola
il villino di Franco
il caffè di Via Roma

il centro di Milano
il liceo di Paola
il centro di Roma

42 / 7 / Dove siamo?... Ecco la casa di Paola... / Risposta: Siamo nella casa di Paola

la casa di Franco
la cucina di Paola
la camera di Marcello

la scuola di Marcello
la camera di Franco
la casa di Paola

● **43 / 7 / Dov'è il cane?... il soggiorno... / Risposta: Il cane è nel soggiorno**

la cucina
il giardino

la camera di Franco
il villino

il liceo
il soggiorno

GIOCO

Gioco dell'alfabeto

PARLIAMO INSIEME

Ha un cane Paola?
È simpatico il cane di Paola?
È un buon custode?
Dove abita Paola?
È grande la casa di Paola?
È comoda?
Ha un giardino Paola?

Avete un cane?
È un buon custode?
È simpatico?
È bella la vostra casa?
È grande? È comoda?
Vi piace la vostra casa?
Avete un giardino?
È grande? È bello?
È grande il vostro soggiorno?

Dove entrano gli amici di Paola?
Che cosa offre subito Paola?
Che cosa preferiscono Franco e Marcello?
Dov'è il gelato?
Sono soli gli amici di Paola?
Come si chiama il cane di Paola?
Che cosa domanda Franco per Brigante?

Vi piace il vostro soggiorno?
È comoda la vostra cucina? Vi piace?
È bella la vostra camera? È grande?
Vi piace la vostra città?
Abitate in centro?
Vi piace abitare in centro?
Vi piace l'aperitivo? Vi piacciono i gelati?
Al caffè preferite prendere l'aranciata o il gelato?

IMMAGINATE IL DIALOGO

Il villino di Franca ha un piano

A Milano la casa di Paolo ha cinque piani.
È nel centro della città

La porta è aperta. Il cane entra

La ragazza chiude la porta

La finestra è chiusa

La ragazza apre la finestra

L'uccello entra dalla finestra

La camèra di Elena è piccola

Il soggiorno è grande

43

5 / POVERO GATTO!

Paola	1	Ecco il gelato.
Marcello	2	Brava, Paola, è buono! Complimenti!
Franco		I gelati di Paola sono sempre buoni. È la sua specialità.
Paola	3	Ascoltiamo un po' di musica?
Marcello		Volentieri.
Paola	4	Per favore, Franco, prendi i dischi.
Franco	5	Dove sono?
Paola		Sulla tavola davanti alla finestra.
Paola	6	Ascoltate in silenzio. Questo è il mio disco preferito.
Franco	7	Mi metto nella poltrona e non apro più bocca.
Il gatto	8	Miao!
Franco		Ahi!
Paola		Che cosa succede?
Franco	9	Mi sono seduto sul gatto! Mi ha graffiato la mano.
Paola	10	Poveretto! Dorme sempre sotto il cuscino.
Marcello		Povero gattino! Ha avuto paura.
Franco	11	Dite piuttosto povero Franco! Guardate la mia mano!
Paola		Non è niente!
Marcello	12	Su, mangiamo il nostro gelato e ascoltiamo il disco! *Drin!*
Claudia	13	Buona sera a tutti!
Franco		È Claudia, la sorella di Paola.
Franco	14	Salve, Claudia.
Claudia		Ciao, Franco.
Paola	15	Ti presento Marcello.
Claudia		Piacere.
Marcello		Piacere.

1A

questo	il	mio tuo suo nostro vostro loro	gatto cane disco amico	preferito
		è		
questa	la	mia tua sua nostra vostra loro	compagna amica poltrona sedia	preferita

1B

questi	i	miei tuoi suoi nostri vostri loro	gatti cani dischi amici	preferiti
		sono		
queste	le	mie tue sue nostre vostre loro	compagne amiche poltrone sedie	preferite

2

Dì Dite	piuttosto	povero bravo	Franco	!
		povera brava	Paola	
		poveri bravi	raggazzi	
		povere brave	ragazze	

3

Per favore	prendi	il tuo	disco gelato
		la tua	poltrona sedia
		i tuoi	dischi gelati
		le tue	sedie

Per favore	prendete	il vostro	disco gelato	
		la vostra	poltrona sedia	
		i vostri	dischi gelati	
		le vostre	sedie	3

Per favore	dov'è	il	gatto cane disco gelato	?	è	sul	cuscino tavolino	
						sulla	sedia tavola	4

ho abbiamo	portato mangiato	il	gelato	di	Paola Franco	sulla tavola nel giardino davanti alla finestra	
	ritrovato		gatto				5

sono sei è	entrato tornato	nel giardino nel soggiorno nella casa	di	Paola	
siamo siete sono	entrati tornati	nella cucina nella camera			6

mi	sono	seduto			ho		
ti	sei				hai		
si	è	seduta			ha		
			sul	gatto disco		avuto	paura
ci	siamo	seduti			abbiamo		
vi	siete				avete		
si	sono	sedute			hanno		7

ESERCIZI

1 / 1A / **Preferiamo il cane bianco...** / Risposta : **è il nostro cane preferito**

preferiamo il villino di Paola
preferiamo il caffè italiano
preferiamo il giardino di Marcello
preferiamo il gatto nero
preferiamo il compagno di Franco

preferiamo il disco di Franco
preferiamo l'aperitivo francese
preferiamo il caffè di Via Roma
preferiamo il campione di sci
preferiamo il cane bianco

2 / 1A / **Preferite il cane bianco...** / Risposta : **è il vostro cane preferito** (Cf. esercizio 1)

3 / 1A / **Questi signori preferiscono il cane bianco...** / Risposta : **è il loro cane preferito**
(Cf. esercizio 1)

4 / 1A / **Preferiamo la casa di Paola...** / Risposta : **è la nostra casa preferita**

preferiamo la squadra di calcio
preferiamo la musica italiana
preferiamo la poltrona di Marcello
preferiamo la televisione francese
preferiamo la birra francese

preferiamo l'aranciata italiana
preferiamo questa specialità italiana
preferiamo l'amica di Paola
preferiamo la compagna di Claudia
preferiamo la casa di Paola

5 / 1A / **Preferite la casa di Paola...** / Risposta : **è la vostra casa preferita** (Cf. esercizio 4)

6 / 1A / **Queste signore preferiscono la casa di Paola...** / Risposta : **è la loro casa preferita**
(Cf. esercizio 4)

• **7** / 1A / **È la tua sedia?...** / Risposta : **no, non è la mia sedia.** / **È la vostra sedia?...** / Risposta : **no, non è la nostra sedia.** / **È la sedia di Paola?...** / Risposta : **no, non è la sua sedia**

è il tuo liceo?
è la tua casa?
è la camera di Paola?
è il tuo amico?
è il vostro villino?
è la tua via?
è il vostro uccello?
è il tavolino di Franco?
è la poltrona di questi signori?
è il vostro gelato?
è il gatto della cameriera?
è il tuo gattino?
è la squadra degli italiani?
è la specialità di questo caffè?

è il tuo disco?
è il cuscino del gatto?
è il vostro giardino?
è il tuo amico preferito?
è il cane dei signori milanesi?
è il caffè di queste signore?
è l'aranciata degli sportivi?
è la squadra di Franco?
è l'amico di Paola?
è la casa di questi ragazzi?
è la vostra amica?
è la tua sedia?
è la vostra sedia?
è la sedia di Paola?

8 / 1B / **Dove sono i cani?...** / Risposta : **dove sono i nostri cani?**

dove sono i gatti?
dove sono i compagni?
dove sono gli amici?
dove sono i dischi?

dove sono i gelati?
dove sono i vicini?
dove sono i gattini?
dove sono i cani?

9 / 1B / **Dove sono i cani?...** / Risposta : **dove sono i vostri cani?**

10 / 1B / **Dove sono i cani di questi signori?...** / Risposta: **dove sono i loro cani?** (Cf. esercizio 8)

11 / 1B / **Dove sono le amiche?...** / Risposta: **dove sono le nostre amiche?**

dove sono le sedie?
dove sono le gatte?
dove sono le tavole?

dove sono le poltrone?
dove sono le compagne?
dove sono le amiche?

12 / 1B / **Dove sono le amiche?...** / Risposta: **dove sono le vostre amiche?** (Cf. esercizio 11)

13 / 1B / **Dove sono le amiche di queste signore?...** / Risposta: **dove sono le loro amiche?** (Cf. esercizio 11)

14 / 1B / **è il nostro gatto...** / Risposta: **sono i nostri gatti**

è il nostro compagno
è il nostro uccello
è il nostro cane
è il nostro disco

è il nostro amico
è il nostro gelato
è il nostro aperitivo
è il nostro gatto

15 / 1B / **è il vostro gatto...** / Risposta: **sono i vostri gatti** (Cf. esercizio 14)

16 / 1B / **è il loro gatto...** / Risposta: **sono i loro gatti** (Cf. esercizio 14)

17 / 1B / **è la nostra sedia...** / Risposta: **sono le nostre sedie**

è la nostra gatta
è la nostra poltrona
è la nostra compagna

è la nostra amica
è la nostra tavola
è la nostra sedia

18 / 1B / **è la vostra sedia...** / Risposta: **sono le vostre sedie** (Cf. esercizio 17)

19 / 1B / **è la loro sedia...** / Risposta: **sono le loro sedie** (Cf. esercizio 17)

● **20** / 1B / **Sono i tuoi amici?** / Risposta: **no, non sono i miei amici.** / **Sono le sedie di Paola e di Franco?...** / Risposta: **no, non sono le loro sedie**

sono le vostre compagne?
sono i vostri compagni?
sono gli uccelli dei signori?
sono gli amici di Paola?
sono i tuoi gatti?
sono le amiche di Franco?
sono i dischi di Franco?
sono le tue amiche?
sono le specialità di questo caffè?
sono le aranciate delle signore?
sono i dischi di Marcello?

sono i tuoi uccelli?
sono le vostre idee?
sono i vostri amici?
sono i gatti delle cameriere?
sono i cani del milanese?
sono le amiche del campione?
sono le sedie delle signore?
sono i tuoi vicini?
sono le tue vicine?
sono i tuoi amici?
sono le sedie di Paola e di Franco?

● **21** / 1A / Sc. 4, 2 / **Mi piace questo gelato...** / Risposta : **è il mio gelato preferito** / **Ci piace questo gelato...** / Risposta : **è il nostro gelato preferito** / **Ti piace questo gelato...** / Risposta : **è il tuo gelato preferito** / **Vi piace questo gelato...** / Risposta : **è il vostro gelato preferito**

mi piace questo caffè	vi piace questo sport
ti piace questo caffè	ci piace questo sport
vi piace questo caffè	mi piace questo gelato
ci piace questo caffè	ti piace questo gelato
ti piace questo sport	vi piace questo gelato
mi piace questo sport	ci piace questo gelato

● **22** / 1B / Sc. 4, 2 / **Mi piacciono questi campioni...** / Risposta : **sono i miei campioni preferiti** / **Ti piacciono questi campioni...** / Risposta : **sono i tuoi campioni preferiti** / **Ci piacciono questi campioni...** / Risposta : **sono i nostri campioni preferiti** / **Vi piacciono questi campioni...** / Risposta : **sono i vostri campioni preferiti**

ti piacciono questi cani	mi piacciono questi gatti
mi piacciono questi cani	ci piacciono questi gatti
vi piacciono questi cani	vi piacciono questi campioni
ci piacciono questi cani	mi piacciono questi campioni
vi piacciono questi gatti	ti piacciono questi campioni
ti piacciono questi gatti	ci piacciono questi campioni

● **23** / 2 / **Complimenti, Paola, è buono il tuo gelato!...** / Risposta : **brava Paola!**

Marcello, è buono il tuo gelato!	ragazze, è buono il vostro gelato!
ragazzi, è buono il vostro gelato!	Paola, è buono il tuo gelato!

● **24** / 3 / **Ecco la tavola...** / Risposta : **metti il disco sulla tavola** / **ecco il tavolino...** / Risposta : **metti il disco sul tavolino**

sedia	poltrona	tavola
televisore	cuscino	tavolino

● **25** / 3 / **Ecco la tavola...** / Risposta : **mettete il disco sulla tavola** (Cf. esercizio 24)

● **26** / 3 / **Che cosa prendo? il caffè?...** / Risposta : **bravo, prendi il caffè** / **Che cosa prendiamo? il caffè?...** / Risposta : **bravi, prendete il caffè**

Che cosa prendo? l'aranciata?	Che cosa prendo? il disco?
Che cosa prendiamo? l'aranciata?	Che cosa prendiamo? il disco?
Che cosa prendiamo? la birra?	Che cosa prendo? il caffè?
Che cosa prendo? la birra?	Che cosa prendiamo? il caffè?

● **27** / Sc. 4, 3A / **Che cosa pago? il caffè?...** / Risposta : **paga pure il caffè** / **Che cosa paghiamo? il caffè?...** / Risposta : **pagate pure il caffè**

che cosa paghiamo? la birra?	che cosa paghiamo? l'aranciata?
che cosa pago? la birra?	che cosa pago? il caffè?
che cosa pago? l'aranciata?	che cosa paghiamo? il caffè?

● **28** / 3 / **Dove mi metto? nella poltrona?...** / Risposta : **mettiti pure nella poltrona** / **Dove ci mettiamo? nella poltrona?...** / Risposta : **mettetevi pure nella poltrona**

dove mi metto? in cucina?	dove ci mettiamo? in cucina?

dove ci mettiamo? nel giardino?   dove ci mettiamo? nella poltrona?
dove mi metto? nel giardino?   dove mi metto? nella poltrona?

29 / 4 / **Dove dorme il gatto?... cuscino...** / Risposta: **il gatto dorme sul cuscino**

tavolino   televisore   disco   cuscino

30 / 4 / **Dove sono i dischi?... tavola...** / Risposta: **i dischi sono sulla tavola**

sedia   poltrona   tavola

31 / 4 / **Dov'è il disco?... tavola...** / Risposta: **il disco è sulla tavola**

cuscino   poltrona   televisore   giradischi
sedia   tavolino   libro   tavola

32 / 5 / **Mangio il gelato...** / Risposta: **anch'io ho mangiato il gelato** / **Mangiamo il gelato...** / Risposta: **anche noi abbiamo mangiato il gelato**

guardo la T.V.   pago da bere a tutti
ascolto il disco   ritroviamo Franco allo stadio
porto da bere a tutti   abitiamo in Via Roma
incontriamo ragazze sportive   ritrovo Paola a scuola
lasciamo il cane a casa   ascolto un po' di musica
gioco a tennis   mangiamo il gelato
chiamo il cameriere   mangio il gelato

33 / 6 / **Torno a Milano...** / Risposta: **non sono mai tornato a Milano**

torni a Milano   tornate a Milano
Franco torna a Milano   i professori tornano a Milano
torniamo a Milano   le professoresse tornano a Milano
Paola torna a Milano   torno a Milano

34 / 7 / **Ho un cane...** / Risposta: **anch'io ho avuto un cane** / **Abbiamo un gatto...** / Risposta: **anche noi abbiamo avuto un gatto**

vedo gli amici allo stadio   vedo gli amici al caffè
vediamo le ragazze a scuola   vediamo gli sportivi allo stadio
ho un villino a Roma   ho un cane
abbiamo un bel giardino   abbiamo un gatto

GIOCO

Ritrovate la domanda (esempio: **il disco è sul tavolino**... / Risposta: **dov'è il disco?**)

mi piace questo disco
mi piacciono i gatti
ho mangiato il gelato
mi sono seduto nella poltrona
ascolto un disco italiano
anch'io sono milanese
la tua casa mi piace molto

preferisco il gelato
mi chiamo Elena
abito in Via Roma
non abbiamo un gatto
ci piace la musica
anch'io ho avuto paura
la sorella di Paola si chiama Claudia

PARLIAMO INSIEME

È buono il gelato di Paola?
Qual è la specialità di Paola?
Che cosa ascoltano gli amici?
Chi prende i dischi?
Dove sono i dischi?
Dove si mette Franco?
Chi ha graffiato Franco?

Vi piace il gelato?
Vi piace la musica?
Ascoltate la musica classica?
Preferite la musica moderna?
Avete dei dischi italiani?
Qual è il vostro disco preferito?

Perché?
Dove dorme il gatto?
Perché Marcello dice "povero gattino"?
Come si chiama la ragazza che arriva alla fine della scena?
Chi è Claudia?
Chi presenta Claudia a Marcello?

Avete un gatto?
Come si chiama il vostro gatto?
Graffia il vostro gatto?
Avete una poltrona nel soggiorno?
Avete una sorella?
Come si chiama?

IMMAGINATE IL DIALOGO

Il professore è davanti al registratore

Il gatto è dietro la professoressa

Dov'è il disco?

è sul giradischi

è sotto il nastro

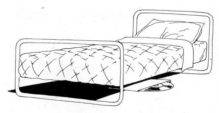

è sotto il letto

è accanto al quaderno

è nel libro

è sopra il televisore

Claudia	1	Allora, Franco, da quanto tempo sei a Roma?
Franco	2	Sono qui da cinque giorni.
Claudia	3	E ci vediamo soltanto oggi!
Franco		Non sei mai a casa quando vengo a prendere tua sorella.
Claudia	4	È vero. Con questo caldo passo tutto il mio tempo alla piscina.
	5	Come stanno i tuoi genitori?
Franco		Stanno benissimo. Grazie.
Franco	6	Stamattina ho ricevuto una lettera.
Franco	7	Anche a Milano fa un caldo da morire. Mia madre non vede l'ora di partire per le Dolomiti.
Claudia	8	E tuo fratello non viene a Roma quest'anno?
Franco	9	No. Massimo va nelle Dolomiti con la mamma.
Marcello	10	E tu hai preferito venire a Roma?
Franco		In luglio passo sempre una settimana o due a casa dei nonni.
Marcello	11	Ora capisco perché siete vecchi amici tutti e tre.
Claudia	12	Paola, non ti ho mai sentito parlare di Marcello. Da quanto tempo vi conoscete?
Paola	13	Ci siamo incontrati ieri a Piazza Navona. Siamo diventati subito amici.
Claudia	14	Che bellezza Piazza Navona! È così fresca con le sue fontane!
Marcello	15	Sentite, facciamo una cosa. Stasera torniamo a Piazza Navona con Claudia.
Paola		D'accordo.
Claudia		Evviva la passeggiata a Piazza Navona!

1A	quest'anno in luglio	ho abbiamo ha hanno	preferito	andare venire tornare	a Roma nelle Dolomiti con la mamma a casa dei nonni

1B	Non	ho abbiamo ha hanno	mai	sentito	parlare / il disco	di	Franco Paola

2	sono partito / siamo partiti	per	le Dolomiti / Milano	con	mio — fratello / nonno; mia — madre / sorella; il loro — fratello; i miei — nonni; i loro — fratelli

3	fa un caldo da morire in luglio	sto stai sta stiamo state stanno	bene	in Piazza Navona nel giardino alla piscina accanto alla fontana nelle Dolomiti davanti alla finestra

4	come	sta / stanno	tuo / tua; i tuoi; le tue	fratello / nonno; sorella / madre; fratelli / nonni; sorelle	?	sta bene; stanno benissimo	grazie

						5
Dove	vai	oggi	?	vado	alla piscina	
	andate			andiamo	allo stadio	
	va	stamattina		va	al caffè	
	vanno	stasera		vanno	al liceo	

						6
da quanto tempo	conoscete Marcello	?	da	due		
	giocate a tennis			tre		
	siete amici			quattro		
	hai un cane			cinque	giorni	
	è partito			sei	anni	
	è tornata			sette	ore	
	hanno la T.V.			otto	settimane	
				nove		
				dieci		
				undici		
				dodici		

						7
da	una settimana	vengo	a	prendere		Paola
	cinque giorni	vieni		vedere		
	due anni	viene		ritrovare		
		veniamo		parlare		
		venite		giocare	con	
		vengono		mangiare		
				nuotare		

							8
Fa caldo	Perché	vieni	a	Roma	?	parti	piuttosto per le Dolomiti
		vai					
		venite		Milano		partite	
		andate					

ESERCIZI

1 / 1AB / **Oggi preferisco andare allo stadio...** / Risposta: **Ieri ho preferito andare allo stadio**

oggi seguo la partita alla televisione
oggi preferisco bere un caffè
oggi capisco perché siete amici

oggi sento un po' di musica
oggi dormo nel soggiorno
oggi preferisco andare allo stadio

2 / 1AB / **Oggi preferiamo andare allo stadio...** / Risposta: **Ieri abbiamo preferito andare allo stadio** (Cf. esercizio 1)

● **3** / 1AB, 2 / Sc. 5 (5, 6, 7) **Passo per Milano...** / Risposta: **Non sono mai passato per Milano / Ricevo Marcello a casa...** / Risposta: **Non ho mai ricevuto Marcello a casa / Franco dorme bene...** / Risposta: **Franco non ha mai dormito bene**

sento sempre parlare di Claudia
incontro gli amici a Piazza Navona
mangio il gelato di Paola
dormo a casa di Franco
ascolto dischi italiani
pago gli aperitivi
riceviamo sempre una lettera da Milano
passiamo tre giorni nelle Dolomiti
presento Marcello agli amici
abbiamo il tempo di andare al caffè
incontro Franco alla piscina
seguiamo i genitori nelle Dolomiti

dormo in casa dei nonni
abbiamo un cane nero
ho un gatto bianco
andiamo allo stadio
andiamo nelle Dolomiti
torno a Piazza Navona
parto con mio padre
vedo le fontane
vediamo la partita
ricevo Marcello a casa
Franco dorme bene
passo per Milano

4 / 3 / **a casa...** / Risposta: **Fa un caldo da morire / Sto bene a casa**

in Piazza Navona
nel giardino

alla piscina
davanti alla finestra

in questa poltrona
a casa

5 / 3 / **a casa** / Risposta: **Fa un caldo da morire / Stai bene a casa** (Cf. esercizio 4)

6 / 3 / **a casa** / Risposta: **Fa un caldo da morire / Franco sta bene a casa** (Cf. esercizio 4)

7 / 3 / **Sto bene a casa di Paola** / Risposta: **Stiamo bene a casa di Paola**

sto bene alla piscina
sto bene in Piazza Navona
sto bene nel giardino
sto bene davanti alla finestra

sto bene in camera
sto bene in questa poltrona
sto bene nel soggiorno
sto bene a casa di Paola

8 / 3 / **Stai bene a casa di Paola** / Risposta: **State bene a casa di Paola** (Cf. esercizio 7)

9 / 3 / **La mia amica sta bene a casa di Paola** / Risposta: **Le mie amiche stanno bene a casa di Paola** (Cf. esercizio 7)

● **10** / 3 / **io** / Risposta: **Fa un caldo da morire / Sto bene a casa**

Claudia
voi
gli amici

noi
il nonno
le tue sorelle

io
tu
i loro fratelli

il gatto
voi
io

● **11** / 4 / **Come stai?**... / Risposta : **Sto bene, grazie** / **Come sta tuo fratello?** / Risposta : **Sta bene, grazie**

come state?

come stanno i tuoi nonni?

come sta tua sorella?

come sta il tuo amico?

come state?

come stai?

come stanno i vostri genitori?

come stanno Claudia e Franco?

come stai?

come sta tuo fratello?

● **12** / 2 e 4 / Sc. 5 (1) / **Parti con il cane?** / Risposta : **Sì, parto sempre con il mio cane** / **Parti con tua madre?**... / Riposta : **Sì, parto sempre con mia madre**

parti con i tuoi genitori?

parti con tuo fratello?

parti con tuo padre?

parti con le tue sorelle?

parti con i tuoi amici?

parti con i tuoi fratelli?

parti con il tuo amico?

parti con tuo nonno?

parti con il tuo cane?

parti con tua madre?

● **13** / 4 / **Franco ritrova il fratello alla piscina**... / Risposta : **Franco ritrova suo fratello alla piscina**

Franco segue la madre nelle Dolomiti

Franco porta sempre la sorella a Roma

Franco lascia i nonni a casa

Franco preferisce i nonni romani

Franco riceve il nonno a Milano

Franco incontra i fratelli al caffè

Franco chiama il fratello

Franco gioca con le sorelle

in luglio Franco parte con la madre

Franco ritrova il fratello alla piscina

Gli amici partono con il padre

Gli amici partono con la madre

Gli amici giocano con i fratelli

Gli amici giocano con le sorelle

14 / 5 / **alla piscina**... / Risposta : **Oggi vado alla piscina**

allo stadio	al liceo	a Milano	a Piazza Navona
al caffè	a scuola	a Roma	alla piscina

15 / 5 / **alla piscina**... / Risposta : **Oggi vai alla piscina** (Cf. esercizio 14)

16 / 5 / **alla piscina**... / Risposta : **Oggi Massimo va alla piscina** (Cf. esercizio 14)

17 / 5 / **Vado alla piscina**... / Risposta : **Oggi andiamo alla piscina**

vado allo stadio	vado al liceo	vado a Milano	vado a Piazza Navona
vado al caffè	vado a scuola	vado a Roma	vado alla piscina

18 / 5 / **Vai alla piscina**... / Risposta : **Oggi andate alla piscina** (Cf. esercizio 17)

19 / 5 / **Il mio amico va alla piscina**... / Risposta : **Oggi i miei amici vanno alla piscina** (Cf. esercizio 17)

● **20** / 5 / **Vado a Roma**... / Risposta : **Andiamo a Roma** / **Vai a Roma**... / Risposta : **Andate a Roma**

il signore va a Roma	vai a Roma	lo studente va a Roma	vado a Roma
vado a Roma	questo francese va a Roma	la signora va a Roma	vai a Roma

● **21** / 5 / **io**... / Risposta : **Vado a Milano**

Franco	tu	i miei amici	Paola e Claudia
voi	io	noi	tu
io	noi	mio padre	io

22 / 6 / **due giorni**... / Risposta: **Sono qui da due giorni** / **Noi**... / Risposta: **Siamo qui da due giorni**

tu	Franco	questo francese	un quarto d'ora
tre giorni	dieci anni	tre ore	tu
voi	noi	io	un giorno

● **23** / 6 / **Leggete:** 1. 3. 5. 9. 11. 12. 4. 6. 8. 3. 5. 4. 7. 9. 11. 10. 4. 6. 8. 9. 4. 3. 7. 2. 5. 9. 11. 12. 10. 9. 8. 7. 5. 3. 2. 1. 8.

24 / 7 / **parlare**... / Risposta: **Vengo a parlare con Paola**

| giocare | nuotare | ascoltare un disco | mangiare un gelato |
| mangiare | giocare a tennis | guardare la televisione | parlare |

25 / 7 / **parlare**... / Risposta: **Vieni a parlare con Paola** (Cf. esercizio 24)

26 / 7 / **parlare**... / Risposta: **mio fratello viene a parlare con Paola** (Cf. esercizio 24)

27 / 7 / **Vengo a trovare Claudia**... / Risposta: **Veniamo a trovare Claudia**

| vengo a vedere Claudia | vengo a mangiare con Claudia |
| vengo a prendere Claudia | vengo a trovare Claudia |

28 / 7 / **Vieni a trovare Claudia**... / Risposta: **Venite a trovare Claudia** (Cf. esercizio 27)

29 / 7 / **Questo studente viene a trovare Claudia**... / Risposta: **Questi studenti vengono a trovare Claudia** (Cf. esercizio 27)

● **30** / 7 / **io**... / Risposta: **Vengo a guardare la televisione**

tu	tu	voi	il signor Martini
Franco	mia sorella	tu	voi
noi	questi studenti	Claudia	la professoressa
voi	io	i professori	io

31 / 8 / **Ma come! parti soltanto oggi!**... / Risposta: **Parti subito!**... / **Ma come! partite soltanto oggi?**... / Risposta: **partite subito!**

ma come! dormi soltanto ora!	ma come! aprite soltanto ora!
ma come! dormite soltanto ora!	ma come! parti soltanto oggi!
ma come! apri soltanto ora!	ma come! partite soltanto oggi!

● **32** / 8 / Sc. 4 / 3A / Sc. 5 / 3 / **Perché non ascolti la mamma?**... / Risposta: **Ascolta subito la mamma** / **Perché non ascoltate la mamma?**... / Risposta: **Ascoltate subito la mamma**

Perché non offri il gelato a Paola?	Perché non prendi il caffè?
Perché non offrite il gelato a Paola?	Perché non prendete il caffè?
Perché non segui Claudia?	Perché non vieni alla piscina?
Perché non seguite Claudia?	Perché non venite alla piscina?
Perché non torni a Roma?	Perché non parti con gli amici?
Perché non tornate a Roma?	Perché non partite con gli amici?
Perché non dormi ancora?	Perché non ascolti la mamma?
Perché non dormite ancora?	Perché non ascoltate la mamma?

GIOCHI

1 / Ritrovate la domanda (Esempio : **Ho ricevuto una lettera stamattina...** / Risposta : **Quando hai ricevuto una lettera?**)

sto bene
stiamo benissimo
mia sorella sta bene
i miei genitori stanno benissimo
prendo un caffè
prendiamo una birra
Franco prende un'aranciata
non mi piace l'aperitivo

sto a casa
stiamo a casa dei nonni
andiamo allo stadio
vado a giocare a tennis
andiamo a Roma
conosciamo Marcello da due giorni
gioco a tennis da cinque giorni
ho ricevuto una lettera stamattina

2 / Gioco dei contrari

PARLIAMO INSIEME

Da quanto tempo Franco è a Roma?
Perché Franco viene a casa di Claudia?
È a casa Claudia quando viene Franco?
Dove passa il tempo Claudia? Perché?
Come stanno i genitori di Franco?
Quando ha ricevuto una lettera Franco?
Fa caldo a Milano in luglio?
Che cosa ha ricevuto Franco?
Dove passa le vacanze la mamma di Franco?
Come si chiama il fratello di Franco?
Dove va Massimo?

Con chi parte Massimo?
In che mese Franco viene a Roma?
Dove abita Franco a Roma?
Da quanto tempo Paola conosce Marcello?
Dove si sono incontrati?
Perché Paola Claudia e Franco sono vecchi amici?
È bella Piazza Navona?
Perché è fresca?
Che cosa vanno a fare i quattro amici a Piazza Navona?
Quali sono i dodici mesi dell'anno?

Da quanto tempo studiate l'italiano?
Conoscete Roma?
Avete veduto Piazza Navona?
Quante fontane ci sono a Piazza Navona?
Vi piace il caldo?
Quale mese preferite?
Siete andati nelle Dolomiti?

Dove andate a passare le vacanze?
Andate alla piscina?
Andate a prendere gli amici per andare al caffè?
Andate a sciare in dicembre?
Quando andate in montagna?
Vi piace la montagna?
Vi piace passeggiare?

Avete un fratello?
Come si chiama?
Avete una sorella?
Come si chiama?

È vecchio vostro nonno?
È giovane vostro padre?
Nuota bene vostro padre?
Nuotate bène?

IMMAGINATE IL DIALOGO

Mio nonno è vecchio

Mio padre è giovane. Nuota bene

Mia madre ha un fratello

Povero zio! nuota male

I DODICI MESI DELL'ANNO

GENNAIO	FEBBRAIO	MARZO	APRILE
1. Capodanno 6. Viene la Befana			Pasqua
MAGGIO	GIUGNO	LUGLIO	AGOSTO
SETTEMBRE	OTTOBRE	NOVEMBRE	DICEMBRE
			25. Natale

In agosto fa caldo. Vado in montagna.

In dicembre fa freddo. Nevica spesso.

63

7 / L'ALFA ROMEO! CHE MACCHINA!

Claudia	1	Com'è bella questa piazza! L'hanno illuminata bene.
Paola	2	Naturale! Ci sono molti turisti a Roma. Qui si sentono tutte le lingue del mondo.
Franco	3	Ieri Marcello mi ha scambiato per un francese.
Paola		Che sbadato quel Marcello!
Marcello	4	Ci sono molti pittori quest'anno! Diamo un'occhiata ai quadri?
Claudia	5	Che bel disegno! È Tivoli.
Marcello		Mi piace molto Tivoli.
Marcello	6	Se siete d'accordo facciamo una gita a Tivoli la settimana prossima. Vi porterò in macchina.
Franco	7	Hai la macchina?
Marcello		Prenderò l'Alfa di mio padre.
Franco		L'Alfa Romeo! Che macchina!
Claudia	8	Hai già la patente? Quanti anni hai?
Marcello	9	Ho compiuto diciotto anni tre mesi fa.
Franco	10	Quando si farà questa gita?
Marcello	11	Oggi è venerdì. Martedì va bene?
Paola	12	Benissimo. Faremo il picnic.
Franco	13	Io porterò da bere.
Claudia		Noi porteremo da mangiare.
Marcello	14	E io vi porterò in macchina!
Franco	15	Evviva Marcello!
Paola		A martedì.
Claudia		Buona notte.
Marcello		Buona notte.

1	Quanti	anni gatti cani dischi libri	hai ——— avete	**?**	ho ——— abbiamo	tredici quattordici quindici sedici diciassette diciotto diciannove venti	anni gatti cani dischi libri

2	Due Dieci	giorni mesi	fa	ho ha abbiamo	incontrato portato seguito lasciato ricevuto	gli amici	a	Tivoli Milano

3	Oggi Stamattina Stasera	faccio fai fa facciamo fate fanno	una	passeggiata gita	con	Marcello Paola gli amici

4	do dai dà	un'occhiata	ai quadri ai giardini alla fontana	diamo date danno	da	mangiare bere	al	gatto cane

5A	Che	bellezza macchina	**!**	l'Alfa Romeo	di	Marcello!	Evviva Marcello!

5B	Com'è	bella grande fresca ——— simpatico giovane	Piazza Navona il signor Martini il turista francese	**!**	Evviva	Piazza Navona il signor Martini il turista francese

6	In Piazza Navona	si sente ——— si sentono	un po' di fresco parlar francese ——— tutte le lingue del mondo parlare molti turisti

					7
A Tivoli	c'è	molto	fresco		
		molta	gente		
In Piazza Navona A Roma	ci sono vengono si vedono	molti	turisti pittori francesi		
		molte	macchine turiste francesi		

				8
Domani Martedì La settimana prossima	porterò porterai porterà porteremo porterete porteranno	Claudia gli amici le amiche	a Tivoli a Roma in macchina	

						9
Che macchina	prenderai prenderete prenderà prenderanno	domani	?	prenderò prenderemo prenderà prenderanno	l'Alfa Romeo la Fiat	

							10
Quando	farai farete farà faranno	il picnic la gita	a Tivoli	?	farò faremo farà faranno	questo picnic questa gita	domani venerdì

ESERCIZI

1 / 1 / **dodici...** / Risposta: **Ho dodici anni** / **Libri...** / Risposta: **ho dodici libri**

venti	gatti	dischi	amici	undici
tredici	dodici	diciotto	quattordici	diciannove
diciassette	dieci	sedici	quindici	anni

● **2** / 1 / **Leggete:**

13. 16. 19. 18. 15. 14. 20. 17. 2. 3. 10. 11. 7. 8. 13. 12. 6. 5. 4. 3. 1. 16. 18. 20. 11.

3 / 2 / **Oggi vedo gli amici a Piazza Navona...** / Risposta: **Tre giorni fa ho veduto gli amici a Piazza Navona**

oggi incontro Paola	oggi lascio i compagni a Milano
oggi porto Claudia al caffè	oggi ricevo una lettera da Roma
oggi seguo Franco alla piscina	oggi vedo gli amici a Piazza Navona

4 / 2 / **due giorni...** / Risposta: **Ho sentito questo disco due giorni fa**

tre giorni	un mese	una settimana	quattro giorni
sette giorni	sei mesi	due settimane	due giorni

5 / 3 / **Tivoli...** / Risposta: **oggi faccio la gita a Tivoli**

Milano	Torino	Roma	Tivoli

6 / 3 / **Tivoli...** / Risposta: **Oggi fai la gita a Tivoli** (Cf. esercizio 5)

7 / 3 / **Tivoli...** / Risposta: **Oggi mio fratello fa la gita a Tivoli** (Cf. esercizio 5)

8 / 3 / **Faccio la passeggiata a Piazza Navona...** / Risposta: **Facciamo la passeggiata a Piazza Navona**

faccio il gelato per gli amici	faccio un quadro
faccio un po' di musica	faccio la passeggiata in macchina
faccio un bel disegno	faccio la passeggiata a Piazza Navona

9 / 3 / **Fai la passeggiata...** / Risposta: **Fate la passeggiata** (Cf. esercizio 8)

10 / 3 / **Claudia fa la passeggiata...** / Risposta: **Le mie amiche fanno la passeggiata** (Cf. esercizio 8)

● **11** / 3 / **io...** / Risposta: **Quando fa caldo faccio la gita a Tivoli**

tu	voi	Claudia	i romani
noi	io	voi	voi
i pittori	noi	tu	noi
il turista	i turisti	questo signore	io

12 / 4 / **Ecco i quadri...** / Risposta: **Do un'occhiata ai quadri.**

ecco la fontana	ecco il gatto	ecco i cani	ecco la casa
ecco il disegno	ecco il libro	ecco gli uccelli	ecco il giardino
ecco il villino	ecco la macchina	ecco la piazza	ecco i quadri

13 / 4 / **Ecco i quadri...** / Risposta : **Dai un'occhiata ai quadri** (Cf. esercizio 12)

14 / 4 / **Ecco i quadri...** / Risposta : **Paola dà un'occhiata ai quadri** (Cf. esercizio 12)

15 / 4 / **Do da bere al gatto...** / Risposta : **Diamo da bere al gatto**

do da mangiare al gatto   do un cane a Marcello
do un gelato a Marcello   do da bere al gatto

16 / 4 / **Dai da bere al gatto...** / Risposta : **Date da bere al gatto** (Cf. esercizio 15)

17 / 4 / **Mia sorella dà da bere al gatto...** / Risposta : **Le mie sorelle danno da bere al gatto** (Cf. esercizio 15)

● **18** / 4 / **Fa caldo. Io...** / Risposta : **Do da bere al cane**

tu	questo turista	questa francese	voi
noi	io	noi	i turisti
i compagni	voi	tu	io

● **19** / 5AB / **Piazza Navona è grande...** / Risposta : **Com'è grande Piazza Navona!**

Piazza Navona è bella   il pittore è giovane
Piazza Navona è fresca   il pittore è simpatico
l'Alfa di Marcello è comoda   il pittore è vecchio
l'Alfa di Marcello è bella   i quadri sono belli
le francesi sono simpatiche   i quadri sono grandi
le francesi sono belle   Piazza Navona è grande.

20 / 6 / **Il disco italiano...** / Risposta : **Si sente il disco italiano**

il cane	il gatto	la fontana	il disco italiano

21 / 6 / **Il quadro...** / Risposta : **Si vede il quadro**

il pittore	il villino	lo stadio	Piazza Navona
la macchina	il turista	l'Alfa Romeo	il quadro

22 / 6 / **Si sente il disco...** / Risposta : **Si sentono i dischi**

si sente la macchina   si fa il disegno
si vede il quadro   si prende la macchina
si vede il pittore   si lascia il gatto a casa
si vede il turista   si offre l'aperitivo
si mangia il gelato   si riceve l'amico a casa
si ascolta il disco   si porta l'amico in macchina
si chiama il cameriere   si mette il disco sul giradischi
si guarda il quadro   si sente il disco

esercizi

● **23** / 6 / **La macchina...** / Risposta : **Si prende la macchina** / **Due macchine...** / Risposta : **Si prendono due macchine**

il quadro	il disegno di Tivoli	due aperitivi	due giorni di vacanza
il caffè	duecento lire	un po' di fresco	la macchina

● **24** / 7 / **Tempo...** / Risposta : **C'è molto tempo** / **Birra...** / Risposta : **C'è molta birra**

caffè   silenzio   musica   gente   tempo   birra

● **25** / 7 / **Turisti...** / Risposta : **Ci sono molti turisti** / **turiste...** / Risposta : **Ci sono molte turiste**

quadri	vecchi	macchine	camere
pittori	libri	case	turiste
italiani	quaderni	fontane	turisti

● **26** / 7 / **Fresco...** / Risposta : **In Piazza Navona, c'è molto fresco** / **Macchine...** / Risposta : **In Piazza Navona, ci sono molte macchine**

turisti	fontane	gente	fresco
silenzio	pittori	italiani	macchine

27 / 8 / **Stasera porto gli amici a Piazza Navona...** / Risposta : **La settimana prossima porterò gli amici a Piazza Navona**

stasera ascolto il disco	stasera incontro turisti francesi
stasera guardo la T.V.	stasera lascio la macchina al garage
stasera mi riposo	stasera mangio a casa mia
stasera incontro Franco	stasera parlo italiano
stasera torno a casa	stasera ritrovo la mamma
stasera guido l'Alfa	stasera porto gli amici a Piazza Navona

28 / 8 / **Stasera porti gli amici a Piazza Navona...** / Risposta : **La settimana prossima porterai gli amici a Piazza Navona** (Cf. esercizio 27)

29 / 8 / **Stasera Claudia porta gli amici a Piazza Navona...** / Risposta : **La settimana prossima Claudia porterà gli amici a Piazza Navona** (Cf. esercizio 27)

30 / 8 / **Domani porterò gli amici al caffè...** / Risposta : **Domani porteremo gli amici al caffè**

domani mangerò il gelato di Paola	domani guiderò questa bellá macchina
domani lascerò il disco a casa	domani mi riposerò a Tivoli
domani parlerò con i turisti	domani porterò gli amici al caffè

31 / 8 / **Domani porterai gli amici al caffè...** / Risposta : **Domani porterete gli amici al caffè** (Cf. esercizio 30)

32 / 8 / **Domani mio fratello porterà gli amici al caffè...** / Risposta : **Domani i miei fratelli porteranno gli amici al caffè** (Cf. esercizio 30)

● **33** / 8 / **Io...** / Risposta : **Domani porterò le amiche a Tivoli**

tu	io	voi	noi	voi
voi	noi	i pittori	tu	le mie sorelle
Marcello	tu	il turista	io	io

34 / 9 /**La macchina...**/ Risposta : **Domani prenderò la macchina**

l'Alfa   la 500   Paola a casa   la macchina

35 / 9 /**La macchina...**/ Risposta : **Domani prenderai la macchina** (Cf. esercizio 34)

36 / 9 /**La macchina...**/ Risposta : **Domani Franco prenderà la macchina** (Cf. esercizio 34)

37 / 9 /**Domani riceverò gli amici...** / Risposta : **Domani riceveremo gli amici**

domani riceverò un disco italiano   domani riceverò i milanesi
domani riceverò le amiche a casa   domani riceverò una lettera
domani riceverò i turisti   domani riceverò gli amici

38 / 9 / **Domani riceverai gli amici...** / Risposta : **Domani riceverete gli amici** (Cf. esercizio 37)

39 / 9 / **Domani mia madre riceverà gli amici...** / Risposta : **Domani i miei genitori riceveranno gli amici** (Cf. esercizio 37)

● **40** / 9 / **io...** / Risposta : **Domani metterò il quadro nel soggiorno**

tu	voi	tu	la cameriera
noi	io	voi	gli amici
il pittore	i genitori	noi	io

41 / 10 /**Tivoli...** / Risposta : **La settimana prossima farò la gita a Tivoli**

Roma   Milano   in Italia   Tivoli

42 / 10 /**Tivoli...** / Risposta : **La settimana prossima farai la gita a Tivoli** (Cf. esercizio 41)

43 / 10 /**Tivoli...** / Risposta : **La settimana prossima il turista farà la gita a Tivoli** (Cf. esercizio 41)

44 / 10 /**Domani farò la passeggiata a Piazza Navona...** / Risposta : **Domani faremo la passeggiata a Piazza Navona**

domani farò la passeggiata a Tivoli   domani farò la gita in Italia
domani farò la gita a Tivoli   domani farò la gita a Roma
domani farò la gita in Francia   domani farò la passeggiata a Piazza Navona

45 / 10 /**Domani farai la passeggiata a Piazza Navona...** / Risposta : **Domani farete la passeggiata a Piazza Navona** (Cf. esercizio 44)

46 / 10 /**Domani il turista farà la passeggiata a Piazza Navona...** / Risposta : **Domani i turisti faranno la passeggiata a Piazza Navona** (Cf. esercizio 44)

● **47** / 10 /**io...** / Risposta : **domani farò il gelato per Paola**

tu	voi	tu	la cameriera
noi	io	voi	gli amici
la mia vicina	i genitori	noi	io

PARLIAMO INSIEME

È bella Piazza Navona?
Perché l'hanno illuminata?
Ci sono turisti a Roma?
Quali lingue si parlano a Piazza Navona?
Perché Paola dice che Marcello è sbadato?
Chi c'è sulla piazza?
A che cosa danno un'occhiata i nostri amici?
Che cosa rappresenta il disegno che guardano?
Dove faranno la gita la settimana prossima?
Ha la macchina Franco?

Vi piace la pittura italiana?
Conoscete il nome di un pittore italiano?
Siete bravi nel disegno?
Quante lingue parlate?
Da quanto tempo parlate italiano?
Da quanto tempo parlate inglese?
Vi piace incontrare dei turisti?
Vengono molti turisti nella vostra città?
Perché?
Vi piace fare il turista?
Avete una macchina?
Di che marca è?
Avete la patente?
Perché non avete la patente?

Chi ha la macchina?
Di chi è questa macchina?
Che macchina è?
Vi piace l'Alfa Romeo?
Quanti anni ha Marcello?
Quando ha compiuto diciotto anni?
Quando faranno la gita?
Dove mangeranno? al ristorante?
Che cosa porterà Franco?
Che cosa porteranno le ragazze?

Quanti anni avete?
Vi piacerà guidare?
Vi piace fare il picnic?
Avete fatto una bella passeggiata la settimana
  scorsa?
Farete una gita la settimana prossima?
Dove?
Che giorno è oggi?
Che giorno sarà domani?
Che giorno era ieri?
Che giorno era due giorni fa?
Che giorno avete lezione d'italiano?
Che giorno avete lezione d'inglese? di francese?
di disegno?

GIOCO

Gioco delle cinque parole

IMMAGINATE IL DIALOGO

Ieri era domenica

Oggi è lunedì

Domani sarà martedì

Che bella settimana!
Come sono contento!

Lunedì
sono andato al caffè

Martedì
ho giocato a tennis

Mercoledì
ho mangiato un buon gelato

Giovedì ho guardato la T.V.

Venerdì sono andato al cinema, quanta gente!

Sabato ho guidato la Fiat di mio padre

Domenica mi sono riposato a casa

L M M G V S D	**L M M G V S D**	**L M M G V S D**
La settimana scorsa	Questa settimana	La settimana prossima
ho guidato la Fiat	non guido	guiderò la Fiat

		Drin! Drin!
Claudia	1	Avanti Franco!
Franco	2	Buon giorno ragazze! Sono le nove. Marcello ci aspetta in macchina.
Claudia	3	Paola non è ancora pronta. Si sta preparando.
Franco	4	Allora chi sa quando partiremo!
Claudia		Fa presto Paola! Ti aspettiamo.
Paola	5	Sì. Mi sto pettinando. Fra un minuto sarò pronta.
Franco	6	Meno male. Da Roma a Tivoli ci sono trentotto chilometri. Ci sarà molto traffico.
Claudia	7	Calmati, c'è tempo! Vuoi una tazza di tè?
Franco	8	Cosa vedo? Non hai ancora fatto colazione?
Claudia		Ho quasi finito. Prendi ciò che ti piace.
Franco	9	Una tazza di tè la bevo volentieri.
Claudia		Una fetta di pane con burro e marmellata?
Franco		Perché no?
Paola	10	Buon giorno Franco. Va bene l'appetito?
Franco		Buon giorno. Io sono stato puntuale, tu invece ti sei alzata in ritardo, vero?
Franco	11	Claudia mi dai un'altra fetta di pane?
Paola		Vedo che ora sei meno impaziente.
Marcello	12	*Toc toc* Permesso?
Claudia		Avanti Marcello.
Marcello		Buon giorno. Siete pronte?
Marcello	13	Ma che cosa state facendo? Io vi aspetto da mezz'ora e voi mangiate!
Paola	14	Non gridare, Marcello. Franco ha voluto far colazione. Ci ha fatto perdere tempo.
Franco		Io! che faccia tosta!
Marcello	15	Via Franco! Non avrai più fame a mezzogiorno.

1							
vuoi	una tazza di tè	?	No.	voglio	un caffè
volete				vogliamo	una birra
vuole				vuole	un'aranciata
vogliono				vogliono	

2							
Chi sa	quando	partirai	per	Roma Tivoli	!	partirò	domani
		partirete				partiremo	alle otto
		partirà				partirà	fra un'ora
		partiranno				partiranno	fra due giorni

3				
mi sono	alzato	alle otto	sono	stato puntuale
ti sei			sei	
si è			è	
ci siamo	alzati		siamo	
vi siete			siete	stati puntuali
si sono			sono	

4			
fa	presto	Marcello aspetta	in macchina
facciamo			davanti alla casa
fate			nel giardino
			dietro la porta
			da mezz'ora

5						
Che cosa	stai	facendo	?	sto	mangiando	una fetta di pane
	sta			sta	chiudendo	la finestra
	state			stiamo	aprendo	la porta
	stanno			stanno		

non	gridare aver paura essere impaziente partire subito	**!**	Calmati!	C'è tempo per andare a	Tivoli Piazza Navona	6

mi sto ti stai si sta ci stiamo vi state si stanno	preparando pettinando	sarò sarai sarà saremo sarete saranno	pronto pronta pronti pronte	fra	un minuto un'ora mezz'ora poco	7

ho ha abbiamo hanno	già	fatto	colazione la passeggiata la gita a Tivoli	ma	ho ha abbiamo hanno	voluto	bere mangiare fare il picnic	con Franco	8

a	mezzogiorno		avrò avrai avrà avremo avrete avranno		fame
alle	due tre	non		più	appetito tempo
fra	due ore dieci minuti mezz'ora				9

quanti chilometri	ci sono ci saranno faremo si faranno ci sono stati abbiamo fatto	**?**	ventuno ventidue ventitré ventiquattro venticinque ventisei	ventisette ventotto ventinove trenta trentuno trentadue trentotto	quaranta cinquanta sessanta settanta ottanta	novanta cento duecento mille duemila	10

79.

ESERCIZI

1 / 1 / **Prendo un caffè** ... / Riposta : **Anch'io voglio un caffè**

prendo una birra
prendo un'aranciata
prendo un caffellatte

prendo una tazza di tè
prendo un altro caffè
prendo un caffè

2 / 1 / **Prendi un caffè?**... / Risposta : **Vuoi un caffè?** (Cf. esercizio 1)

3 / 1 / **Claudia prende sempre un caffè**... / Risposta : **Claudia vuole sempre un caffè** (Cf. esercizio 1)

4 / 1 / **Voglio partire subito**... / Risposta : **Vogliamo partire subito**

voglio mangiare
voglio far colazione
voglio bere
voglio tornare a casa

voglio dormire
voglio giocare
voglio pagare
voglio entrare

voglio aprire la porta
voglio chiudere la finestra
voglio andare in Italia
voglio partire subito

5 / 1 / **Vuoi partire subito?**... / Risposta : **Volete partire subito?** (Cf. esercizio 4)

6 / 1 / **Questa ragazza vuole partire**... / Risposta : **Queste ragazze vogliono partire** (Cf. esercizio 4)

● **7** / 1 / **Non prendo caffè**... / Risposta : **Voglio una tazza di tè**

Franco non prende caffè
non prendi caffè
non prendiamo caffè
i nostri genitori non prendono caffè

mia madre non prende caffè
non prendete caffè
le mie sorelle non prendono caffè
non prendo caffè

8 / 2 / **Stasera parto con Claudia. E domani?**... / Risposta : **Anche domani partirò con Claudia**

stasera parto con Franco. E domani?
stasera parto con l'Alfa. E domani?
stasera parto con Paola. E domani?
stasera parto per le Dolomiti. E domani?

stasera parto con la macchina. E domani?
stasera parto con la mamma. E domani?
stasera parto con i genitori. E domani?
stasera parto con Claudia. E domani?

9 / 2 / **Stasera parti con Claudia. E domani?**... / Risposta : **Anche domani partirai con Claudia** (Cf. esercizio 8)

10 / 2 / **Stasera il professore parte con Claudia. E domani?**... / Risposta : **Anche domani il professore partirà con Claudia** (Cf. esercizio 8)

11 / 2 / **Domani partirò per Milano**... / Risposta : **Domani partiremo per Milano**

domani partirò con il cane
domani partirò con la 600
domani partirò per la Francia
domani partirò per Tivoli

domani partirò con lo zio
domani partirò con l'Alfa
domani partirò in ritardo
domani partirò per Milano

12 / 2 / **Domani partirai per Milano**... / Risposta : **Domani partirete per Milano** (Cf. esercizio 11)

13 / 2 / **Domani Franco partirà per Milano**... / Risposta : **Domani i miei amici partiranno per Milano** (Cf. esercizio 11)

● **14** / 2 / io... / Risposta: **È l'ora di partire, ma chi sa quando partirò?**

tu	mio fratello	Claudia	noi
noi	voi	io	tu
Franco	i nostri amici	voi	io

● **15** / 2 / **Stasera offro l'aperitivo a tutti. E domani?**... / Risposta: **Anche domani offrirò l'aperitivo a tutti**

stamattina preferisco bere una tazza di caffè. E domani?
oggi partiamo con Marcello. E la settimana prossimo?
quest'anno usciamo con gli amici romani. E l'anno prossimo?
oggi gli sportivi seguono la partita alla T.V. E domani?
quest'anno mi vesto alla moda italiana. E l'anno prossimo?
stasera i miei amici partono per Milano. E fra una settimana?
stasera offro l'aperitivo a tutti. E domani?

● **16** / 3 / **Mi sono alzato alle sette**... / Risposta: **Mi sono preparato subito**

ti sei alzato alle sette	i ragazzi si sono alzati alle sette
Franco si è alzato alle sette	vi siete alzati alle sette
ci siamo alzati alle sette	mi sono alzato alle sette

17 / 3 / **Oggi sono puntuale, vero?**... / Risposta: **Ieri sono stato puntuale, vero?**

| oggi sono contento, vero? | oggi sono gentile, vero? |
| oggi sono impaziente, vero? | oggi sono puntuale, vero? |

18 / 3 / **Oggi siamo puntuali, vero?**... / Risposta: **Siamo stati puntuali, vero?** (Cf. esercizio 17)

19 / 3 / **Franco mi ha chiamato**... / Risposta: **Sono stato chiamato da Franco**

il gatto mi ha graffiato	il professore mi ha veduto
Claudia mi ha svegliato	il cane mi ha seguito
Paola mi ha pettinato	il vicino mi ha ricevuto
gli amici mi hanno aspettato	Franco mi ha chiamato

20 / 3 / **Franco ci ha chiamati**... / Risposta: **Siamo stati chiamati da Franco** (Cf. esercizio 19)

21 / 4 / **il caffè**... / Risposta: **Fa il caffè, per favore**

il tè   un disegno   il caffellatte   l'aranciata   un po' di musica   il caffè

22 / 4 / **il caffè**... / Risposta: **fate il caffè, per favore** (Cf. esercizio 21)

23 / 4 / **Presto, il caffè!**... / Risposta: **Facciamo presto il caffè!**

presto, il gelato!   presto, il tè!   presto, il caffellatte!   presto, il caffè!

24 / 4 / **Presto, il caffè!**... / Risposta: **Fate presto il caffè!** (Cf. esercizio 23)

● **25** / 5 / **Marcello aspetta in macchina**... / Risposta: **Marcello sta aspettando in macchina**

il gatto dorme sotto il cuscino	Paola si lava
Claudia si pettina	seguiamo l'Alfa di Marcello
Franco fa colazione	penso alle fontane di Tivoli

Marcello mangia una fetta di pane
bevono una tazza di tè
chiudete la porta
la macchina parte

partiamo per Tivoli
apro la macchina
mi riposo a Tivoli
Marcello aspetta in macchina

● **26** / 6 / **Prendi il disco...** / Risposta : **Ma no! Non prendere il disco**

mangia il gelato
parti alle otto
ascolta questo disco
parla a questo turista
parla francese
paga l'aperitivo
apri la porta
aspetta Marcello

chiudi la finestra
va nel giardino
metti il pane sulla tavola
offri la birra a tutti
segui gli amici a Tivoli
prendi l'Alfa
va a Milano
prendi il disco

27 / 7 / **Quando sarò pronto? fra un minuto** / Risposta : **Sarò pronto fra un minuto**

Quando sarò a Roma? fra una settimana
Quando sarò con gli amici? fra un'ora
Quando sarò pettinato? fra mezz'ora

Quando sarò bravo in italiano? fra un anno
Quando sarò a casa? fra un mese
Quando sarò pronto? fra un minuto

28 / 7 / **Quando sarai pronto? Fra un minuto** / Risposta : **Sarai pronto fra un minuto** (Cf. esercizio 27)

29 / 7 / **Quando Claudia sarà pronta? Fra un minuto** / Risposta : **Claudia sarà pronta fra un minuto** (Cf. esercizio 27)

30 / 7 / **Domani sarò invitato da Paola** / Risposta : **Domani saremo invitati da Paola**

domani sarò invitato dagli amici
domani sarò a Roma
domani sarò a Milano
domani sarò a casa

domani sarò pronto alle otto
domani sarò tornato per le nove
domani sarò ricevuto dagli amici
domani sarò invitato da Paola

31 / 7 / **Domani sarai invitato da Paola** / Risposta : **Domani sarete invitati da Paola** (Cf. esercizio 30)

32 / 7 / **Domani la signora sarà invitata da Paola...** / Risposta : **Domani le signore saranno invitate da Paola** (Cf. esercizio 30)

● **33** / 7 / **Ora non sono in ritardo...** / Risposta : **Ma fra mezz'ora sarò in ritardo**

ora Franco non è in ritardo
ora non sei in ritardo
ora non siamo in ritardo

ora gli studenti non sono in ritardo
ora non siete in ritardo
ora non sono in ritardo

34 / 8 / **Sono le otto. Ho fatto colazione...** / Risposta : **Ho fatto colazione alle otto**

Sono le sei. Ho fatto la passeggiata
Sono le dieci. Ho fatto la gita a Tivoli
Sono le dodici e mezzo. Ho fatto il picnic

Sono le cinque. Ho fatto un disegno
È l'una. Ho fatto da mangiare
Sono le otto. Ho fatto colazione

35 / 8 / **Sono le otto. Abbiamo fatto colazione...** / Risposta : **Abbiamo fatto colazione alle otto**
(Cf. esercizio 34)

● **36** / 8 / **Scena 5 (5,7), Sc. 6 (1)** / **Ho paura di essere in ritardo...** / Risposta : **Ho avuto paura di essere in ritardo**

vedo Paola alla piscina
ricevo Franco a casa
bevo un'aranciata
voglio fare il picnic con i miei amici

sento parlare italiano
finisco di mangiare
mangio un gelato
ho paura di essere in ritardo

37 / 9 / **fame...** / Risposta : **A mezzogiorno, avrò fame**

appetito
molto tempo
un bel gelato

un po' di tempo
la macchina
un'ora per mangiare

un momento per giocare a tennis
mezz'ora per ascoltare il disco
fame

38 / 9 / **fame...** / Risposta : **A mezzogiorno, avrai fame** (Cf. esercizio 37)

39 / 9 / **fame...** / Risposta : **A mezzogiorno, Paola avrà fame** (Cf. esercizio 37)

40 / 9 / **Fra una settimana, avrò 14 anni...** / Risposta : **Fra una settimana, avremo 14 anni**

fra un mese avrò gli amici a casa
fra due giorni avrò una bella macchina
fra un anno avrò un quadro

fra una settimana avrò sei giorni di vacanza
fra poco avrò un momento per ascoltare il disco
fra una settimana avrò 14 anni

41 / 9 / **Fra una settimana, avrai 14 anni...** / Risposta : **Fra una settimana, avrete 14 anni** (Cf. esercizio 40)

42 / 9 / **Fra una settimana, la mia compagna avrà 14 anni...** / Risposta : **Fra una settimana le mie compagne avranno 14 anni** (Cf. esercizio 40)

● **43** / 9 / **io...** / Risposta : **Fra due mesi, avrò l'Alfa Romeo**

tu	voi	io	le mie amiche
Marcello	tu	il mio professore	voi
noi	i nostri amici	noi	io

● **44** / (7, 9) / **io...** / Risposta : **Quando sarò più vecchio, avrò la Fiat 128**

tu	mio fratello	noi	io
voi	tu	io	noi
Franco	questo studente	le mie sorelle	tu
questi ragazzi	voi	voi	io

● **45** / 10 / **Leggete :** 21. 41. 44. 112. 85. 70. 34. 41. 15. 88. 52. 105. 181. 43. 68. 79. 80. 96. 91. 98.
1003. 1007. 1010. 1970. 1971. 1973. 1943. 1954. 6000. 400. 5678. 9864. 456. 734. 58.732. 18. 1973.
1974. 1975. 1. 2. 3. 4. 5. 6. 7. 8. 9. 10. 11. 12. 13. 14. 15. 16. 17. 18. 19. 20.

PARLIAMO INSIEME

Chi suona alla porta di Claudia?
A che ora arriva Franco?
Dov'è Marcello?
È pronta Paola?
Che cosa sta facendo Paola?
Quando sarà pronta?
È in ritardo Paola?
È in ritardo Franco?
Perché è impaziente Franco?
Quanti chilometri ci sono da Roma a Tivoli?
Ha già fatto colazione Claudia?
Ha già fatto colazione Franco?
Che cosa mangia Franco?

Che cosa beve?
Quante fette di pane mangia Franco?
Che cosa dice Marcello prima di entrare?
Che cosa risponde Claudia?
Da quanto tempo sta aspettando Marcello?
Perché grida?
Chi ha fatto perdere tempo alle ragazze?
È vero?
Perché Franco ha accettato di mangiare e di bere?
È contento Franco quando sente ciò che dice Paola? Perché?
A che ora Franco non avrà più fame?

A che ora suona la sveglia a casa vostra?
A che ora partite per andare a scuola?
A che ora tornate a casa?
A che ora fate la prima colazione?
Che cosa mangiate? Che cosa bevete?
Quante volte mangiate nella giornata?
A che ora?
Avete molto appetito la mattina?
a mezzogiorno? la sera?
Mangiate soltanto ciò che vi piace?

Vi piace la pastasciutta?
Vi piacciono gli spaghetti?
Quanti chilometri ci sono dal liceo a casa vostra?
A che ora c'è molto traffico nella vostra città?
Vi piace aspettare vostra sorella quando si sta preparando?
In quanto tempo vi preparate la mattina?
A che ora vi lavate?
A che ora vi pettinate?
A che ora sarete a casa stasera?

CHE ORE SONO, PER FAVORE?

IMMAGINATE IL DIALOGO

LA MATTINA DI ANNA

Sono le sette.
Anna si sveglia.

Sono le sette e mezzo.
Anna si lava.

Sono le otto.
Anna si pettina.

Sono le otto e venti.
Anna beve il caffellatte.

Sono le nove meno
un quarto. Anna
si veste per uscire.

Sono le nove e un quarto.
Parte per la piscina.

È mezzogiorno.
Torna dalla piscina.

È l'una. Anna mangia
la pastasciutta.
Buon appetito, Anna!

TUTTE LE STRADE PORTANO A ROMA

Da Roma a Venezia ci sono 531 chilometri.

Da Roma a Milano ci sono 572 chilometri.

Da Roma a Torino ci sono 693 chilometri.

Da Roma a Genova ci sono 502 chilometri.

Da Roma a Firenze ci sono 278 chilometri.

Da Roma a Napoli ci sono 219 chilometri.

9 / FINALMENTE CI SIAMO!

Marcello	1	Uffa! Finalmente ci siamo! Quante macchine sulla strada!
Marcello	2	Che pensate di questo prato per il picnic?
Claudia	3	Meglio scegliere un posto con un bell'albero!
Paola	4	Guardate quel prato laggiù. Mi sembra proprio adatto!
Franco		C'è molta ombra. Andiamoci!
Claudia	5	Dove mettiamo la macchina?
Marcello		La lascio qui. Possiamo andare a piedi, no? Non è lontano.
Claudia	6	Su, Brigante, fuori!
Brigante		*Bau, Bau!*
Franco	7	Dammi la chiave del bagagliaio. Prendo il paniere.
Marcello		Eccola.
Marcello	8	Fa bene un po' d'aria fresca dopo tanto sole.
Paola	9	Sei già sdraiato nell'erba! Dai, aiutami a stendere la tovaglia!
Claudia	10	Ho una sete da morire. Franco, dammi un bicchiere d'acqua minerale.
Franco	11	Io mi sento affamato. Si può sapere cosa c'è da mangiare?
Paola	12	Abbiamo portato il pollo arrosto, le uova sode e, per cominciare, c'è un bel salame!
Franco	13	Cominciamo. Fuori il salame!
Paola		Ma dov'è? Non lo trovo più.
Claudia	14	Dio mio, Paola, guarda Brigante. Sta mangiando qualcosa.
Paola	15	Mamma mia, il nostro salame!
Franco		Ah! ah! Avete fatto bene a chiamarlo Brigante quel cane!

1			
	quanto	sole traffico	
	quanti	turisti alberi	sulla strada a Tivoli
	quanta	ombra aria	!
	quante	macchine fontane	

2A						
Dove	porti metti lasci porterai metterai lascerai	la macchina la chiave la tovaglia la tavola le uova sode le chiavi	?	la le	porto metto lascio porterò metterò lascerò	qui a casa nel prato sotto l'albero laggiù

2B						
Dov'è	il salame il bicchiere l'aperitivo il cane il paniere il pollo l'uovo sodo	?	non	lo	trovo vedo	più
Dove sono	i salami i bicchieri gli aperitivi i cani i panieri i polli			li		

3					
Guarda	Brigante	Chiamalo	!	hai fatto bene a	chiamarlo
	la macchina	Chiudila			chiuderla

Su Via	dammi datemi portami portatemi lasciami lasciatemi	da	bere mangiare	Ecco			
		il	bicchiere salame paniere	Eccolo	!	Grazie!	
		l' la	acqua minerale chiave	Eccola			4

qui	c'è	molta	erba aria	vieni venite	in	questo	prato	
laggiù		molto	sole silenzio	va andate		quel		5

quel prato quell'albero quello stadio		sembra		lontano
quella fontana quell'Alfa Romeo	mi ci		proprio molto	lontana
quei prati quegli alberi stadi		sembrano		lontani
quelle strade fontane Alfa Romeo				lontane 6

Per favore	posso puoi può possiamo potete possono	portare lasciare	il paniere l'acqua minerale il salame	all'ombra nel prato nella macchina nell'Alfa Romeo sulla tovaglia sull'erba sotto l'albero	?	Sì. Perché no? 7

ESERCIZI

1 / 1 / **il sole...** / Risposta : **Quanto sole!**

il traffico	il pane	il salàme	il silenzio
il burro	il fresco	il caffè	il sole

2 / 1 / **l'ombra...** / Risposta : **Quanta ombra!**

l'aria	l'erba	la sete	la birra
la gente	l'acqua	la fame	l'ombra

3 / 1 / **i turisti...** / Risposta : **Quanti turisti!**

i francesi	i bicchieri	i panieri	i salami
gli alberi	i polli	i pani	i turisti

4 / 1 / **le macchine...** / Risposta : **Quante macchine!**

le fontane	le tovaglie	le tazze	le turiste
le chiavi	le uova	le tavole	le macchine

● **5** / 1 / **Qui c'è molto sole...** / Risposta : **Quanto sole!...** / **Qui ci sono molti turisti...** / Risposta : **Quanti turisti!**

qui c'è molta gente	qui c'è molta gente
qui c'è molta erba	qui ci sono molte fontane
qui ci sono molte macchine	qui ci sono molti uccelli
qui c'è molto traffico	qui ci sono molte italiane
qui c'è molta aria	qui ci sono molti turisti
qui ci sono molti alberi	qui c'è molto sole

6 / 2A / **Porto la macchina nel prato...** / Risposta : **La porto nel prato**

porto la chiave nella macchina	porto mia madre in macchina
porto la tovaglia sotto l'albero	porto la macchina all'ombra
porto la colazione nel paniere	porto la marmellata subito
porto la tazza sul tavolino	porto la birra subito
porto mia sorella alla piscina	porto la macchina nel prato

7 / 2A / **Lascio le uova nel paniere...** / Risposta : **Le lascio nel paniere**

lascio le chiavi nella macchina	lascio le sedie nel giardino
lascio le uova nel piatto	lascio le mie sorelle a casa
lascio le macchine all'ombra	lascio le birre sulla tavola
lascio le tazze qui	lascio le uova nel paniere

● **8** / 2A / **Dove mettiamo la tovaglia?...** / Risposta : **La mettiamo sotto l'albero** / **Dove mettiamo le sedie?...** / Risposta : **Le mettiamo sotto l'albero**

dove mettiamo la tavola?	dove mettiamo le birre?
dove mettiamo la macchina?	dove mettiamo l'aranciata?
dove mettiamo la birra?	dove mettiamo la tovaglia?
dove mettiamo le macchine?	dove mettiamo le sedie?

9 / 2B / **Franco, porta presto il salame!**... / Risposta : **lo porto subito!**

Franco, porta presto l'aperitivo!   Franco, porta presto il pane!
Franco, porta presto il paniere!   Franco, porta presto il bicchiere!
Franco, porta presto il pollo!   Franco, porta presto il burro!
Franco, porta presto il caffè!   Franco, porta presto il salame!

10 / 2B / **Marcello non trova gli spaghetti**... / Risposta : **Marcello non li trova più**

Marcello non trova i salami   Marcello non trova i dischi
Marcello non trova i bicchieri   Marcello non trova gli aperitivi
Marcello non trova i gelati   Marcello non trova i compagni
Marcello non trova i panieri   Marcello non trova gli spaghetti

11 / 2B / **Chi porterà il paniere?**... / Risposta : **Lo porterò io** / **Chi porterà i dischi?** / Risposta : **li porterò io**

chi porterà il pollo?   chi porterà il salame?
chi porterà gli spaghetti?   chi porterà i bicchieri?
chi porterà il burro?   chi porterà il caffè?
chi porterà il pane?   chi porterà il tè?
chi porterà il giradischi?   chi porterà il paniere?
chi porterà i cuscini?   chi porterà i dischi?

12 / 2AB / **Chi mangerà il salame?**... / Risposta : **lo mangerò io** / **Chi mangerà la marmellata?**... / Risposta : **la mangerò io** / **Chi porterà i bicchieri?**... / Risposta : **li porterò io**

chi mangerà il pane?   chi porterà l'acqua minerale?
chi mangerà gli spaghetti?   chi porterà le sedie?
chi mangerà le uova sode?   chi porterà gli aperitivi?
chi mangerà il pollo?   chi porterà il burro?
chi prenderà il pane?   chi porterà la tavola?
chi prenderà le sedie?   chi porterà i dischi?
chi prenderà la macchina?   chi mangerà il salame?
chi prenderà i bicchieri?   chi mangerà la marmellata?
chi prenderà il caffè?   chi porterà i bicchieri?

13 / 3 / **Guarda il cane**... / Risposta : **guardalo**

guarda il gatto   guarda il disco   guarda l'uccello
guarda l'albero   guarda Franco   guarda il cane

14 / 3 / **Prendi la sedia**... / Risposta : **prendila**

prendi la chiave   prendi l'acqua   prendi la tovaglia
prendi la macchina   prendi la tazza   prendi la sedia

15 / 3 / **Chiudi il paniere**... / Risposta : **Chiudilo** / **Chiudi la porta**... / Risposta : **Chiudila**

chiudi la mano   chiudi la macchina
chiudi il bagagliaio   chiudi la finestra
chiudi il quaderno   chiudi la porta
chiudi il libro   chiudi il paniere

16 / 4 / **Porta da bere**... / Risposta : **Portami da bere**

porta da mangiare
porta il coltello
porta la forchetta

porta lo zucchero
porta la tovaglia
porta da bere

17 / 4 / **Lasciate le uova**... / Risposta : **Lasciatemi le uova**

lasciate le chiavi
lasciate da mangiare
lasciate il salame

lasciate un po' di pane
lasciate un po' d'acqua
lasciate le uova

● **18** / 4 / **Per favore, mi porti da bere?**... / Risposta : **Su, portami da bere / Mi portate da bere?**... / Risposta :
Su, portatemi da bere.

mi portate a Tivoli?
mi date da mangiare?
mi lasci i dischi?
mi porti l'acqua?
mi lasciate la macchina?
mi porti l'insalata?
mi date lo zucchero?
mi lasciate da bere?

mi date le chiavi della macchina?
mi porti il paniere?
mi portate la pastasciutta?
mi lasci questo pane?
mi date pochi spaghetti?
mi dai l'acqua minerale?
mi porti da bere?
mi portate da bere?

● **19** / 4 / **Ecco Marcello**... / Risposta : **Eccolo! / Ecco la tovaglia**... / Risposta : **Eccola!**

ecco il salame
ecco la pastasciutta
ecco l'acqua minerale
ecco gli amici
ecco il prato
ecco le fontane

ecco la strada
ecco l'Alfa Romeo
ecco i coltelli
ecco le tazze
ecco la tovaglia
ecco Marcello

● **20** / 4 / **Marcello sta arrivando**... / Risposta : **Eccolo**

Paola sta arrivando
gli amici stanno arrivando
le mie sorelle stanno arrivando

i tuoi fratelli stanno arrivando
il cameriere sta arrivando
Marcello sta arrivando

● **21** / 5 / **Hai mangiato tutto il pane**... / Risposta : **Hai mangiato molto pane / Hai mangiato tutta la
pastasciutta**... / Risposta : **Hai mangiato molta pastasciutta**

hai mangiato tutto il pollo
hai mangiato tutta l'insalata
hai mangiato tutte le uova

hai mangiato tutti gli spaghetti
hai mangiato tutto il pane
hai mangiato tutta la pastasciutta

22 / 5 / **questo prato**... / Risposta : **Vieni in questo prato**

questa poltrona
questa città
questa casa

questa camera
questo giardino
questo prato

23 / 5 / **questo prato**... / Risposta : **Venite in questo prato** (Cf. esercizio 22)

24 / 5 / **quel giardino...** / Risposta : **Va in quel giardino**

quella casa

quel prato

quella macchina

quel caffè

quella via

quel giardino

25 / 5 / **quel giardino...**/ Risposta : **Andate in quel giardino** (Cf. esercizio 24)

26 / 5 / **Qui c'è un bell'albero!...**/ Risposta : **Guarda questo bell'albero!**

qui c'è un bel prato!

qui c'è un bell'uccello!

qui c'è un bel pollo!

qui c'è un bel cinema!

qui c'è un bello stadio!

qui c'è un bel caffè!

qui c'è un bel piatto!

qui c'è un bell'albero!

27 / 5 / **Vedi il prato laggiù?...** / Risposta : **Vedi quel prato laggiù?**

vedi il paniere laggiù?

vedi il bicchiere laggiù?

vedi il gatto laggiù?

vedi il cane laggiù?

vedi il turista laggiù?

vedi il pittore laggiù?

vedi il signore laggiù?

vedi il prato laggiù?

28 / 6 / **Guarda i gatti laggiù...** / Risposta : **Quei gatti sono lontani**

guarda i turisti laggiù

guarda i pittori laggiù

guarda i signori laggiù

guarda i francesi laggiù

guarda i giovani laggiù

guarda i gatti laggiù

29 / 6 / **Guarda lo stadio laggiù...** / Risposta : **Quello stadio è lontano / Guarda l'albero laggiù...** / Risposta : **Quell'albero è lontano**

guarda l'uccello laggiù

guarda lo sportivo laggiù

guarda lo stadio laggiù

guarda l'albero laggiù

30 / 6 / **Quell'albero è bello!...** / Risposta : **Quegli alberi sono proprio belli**

quell'italiano è bello

quell'uccello è bello

quello sportivo è bello

quello stadio è bello

quell'uccello nero è bello

quell'albero è bello

● **31** / 6 / **Dai, Franco, prendi la forchetta laggiù...** / Risposta : **Prendi quella forchetta / Dai, Franco, prendi le uova laggiù...** / Risposta : **Prendi quelle uova**

dai, Franco, prendi la macchina laggiù

dai, Franco, prendi la marmellata laggiù

dai, Franco, prendi la tazza laggiù

dai, Franco, prendi la strada laggiù

dai, Franco, prendi l'insalata laggiù

dai, Franco, prendi l'Alfa Romeo laggiù

dai, Franco, prendi le sedie laggiù

dai, Franco, prendi le tovaglie laggiù

dai, Franco, prendi le uova laggiù

dai, Franco, prendi la forchetta laggiù

● **32** / 6 / **Vedi il cane laggiù?...** / Risposta : **Mi piace quel cane / Vedi la macchina laggiù?...** / Risposta : **Mi piace quella macchina**

vedi lo stadio laggiù?

vedi l'uccello laggiù?

vedi l'italiana laggiù?

vedi lo sportivo laggiù?

vedi la piazza laggiù?

vedi il prato laggiù?

vedi il quadro laggiù?

vedi l'albero laggiù?

vedi l'Alfa laggiù?   vedi il cane laggiù?
vedi il prato laggiù?   vedi la macchina laggiù?

● **33** / 6 / **Quel signore mi sembra proprio grosso...** / Risposta: **Quei signori mi sembrano proprio grossi** /
Quella signora mi sembra proprio grossa... / Risposta: **Quelle signore mi sembrano proprio grosse**

quella ragazza mi sembra proprio grossa   quello sportivo mi sembra proprio grosso
quel pollo mi sembra proprio grosso   quel cane mi sembra proprio grosso
quel turista mi sembra proprio grosso   quel pane mi sembra proprio grosso
quel salame mi sembra proprio grosso   quella turista mi sembra proprio grossa
quell'uovo mi sembra proprio grosso   quell'italiano mi sembra proprio grosso
quell'uccello mi sembra proprio grosso   quel signore mi sembra proprio grosso
quell'italiana mi sembra proprio grossa   quella signora mi sembra proprio grossa

34 / 7 / **Mangio con le dita...** / Risposta: **Posso mangiare con le dita?**

bevo in questo bicchiere   aiuto Paola
prendo una fetta di pane   stendo la tovaglia
bevo un po' d'acqua   mangio le uova
lascio il paniere   prendo il coltello
mangio il salame   mangio con le dita

35 / 7 / **Mangi con le dita...** / Risposta: **Puoi mangiare con le dita** (Cf. esercizio 34)

36 / 7 / **Mio fratello mangia con le dita...** / Risposta: **Può mangiare con le dita** (Cf. esercizio 34)

37 / 7 / **Non posso andare a Tivoli...** / Risposta: **Non possiamo andare a Tivoli**

non posso andare al cinema   non posso portare il pane
non posso andare allo stadio   non posso aiutare Paola
non posso andare in montagna   non posso vedere l'albero
non posso andare in città   non posso scegliere il prato
non posso portare la macchina   non posso fare il picnic
non posso fare la passeggiata   non posso andare a Tivoli

38 / 7 / **Non puoi andare a Tivoli...** / Risposta: **Non potete andare a Tivoli** (Cf. esercizio 37)

39 / 7 / **Franco non può andare a Tivoli...** / Risposta: **Franco e Marcello non possono andare a Tivoli**
(Cf. esercizio 37)

● **40** / 7 / **Non mangio pane...** / Risposta: **Non posso mangiar pane** / **Non mangiate pane...** / Risposta: **Non**
potete mangiar pane

Franco non mangia pane   non mangi pollo arrosto
non mangio uova sode   mio zio non mangia marmellata
non mangiamo insalata verde   mia madre non mangia con le dita
non mangiate salame   i francesi non mangiano alle due
i francesi non molti spaghetti   non mangio pane
non mangi molto   non mangiate pane

● **41** / 7 / **io...** / Risposta: **Posso aiutare Paola a mangiare il pollo**

Franco	gli amici	Marcello	i cani
voi	Brigante	noi	voi
noi	io	tu	io

PARLIAMO INSIEME

Dove sono andati i nostri amici?
Come sono andati a Tivoli?
Dove si mettono per il picnic?
Perché vanno sotto l'albero?
Vanno con la macchina sotto l'albero?
È lontano l'albero?
Hanno lasciato Brigante a casa?
Lasciano Brigante nella macchina?
Dov'è il paniere?
Con che cosa si apre il bagagliaio?
Chi apre il bagagliaio?

Chi prende il paniere?
Chi è sdraiato nell'erba?
Chi stende la tovaglia?
Chi aiuta Paola?
Chi ha sete?
Che cosa beve Claudia?
Chi è affamato?
Che cosa c'è da mangiare?
Chi ha portato da mangiare?
Che cosa cerca Paola?
Chi ha mangiato il salame?

Vi piace fare il picnic?
Quando avete fatto un picnic?
Dove siete andati?
Con chi avete fatto il picnic?
Che cosa avete mangiato?
Avete molto appetito quando mangiate fuori?
Mangiate il pollo con le dita?
Mettete molto zucchero nel caffè?
Vi piace l'insalata verde?
Vi piace il salame?
Vi piacciono le uova sode?

Con che cosa si mangiano gli spaghetti?
Con che cosa si mangia il gelato?
Aiutate la mamma a preparare il picnic?
Per il picnic portate la tavola e le sedie?
Vi piace sdraiarvi nell'erba?
Vi piace l'aria fresca?
Preferite stare all'ombra o al sole?
È grande il bagagliaio della vostra macchina?
Si apre con la chiave del motore o con quella della portiera?
Quanti chili pesate?

GIOCO

Gioco degli oggetti

IMMAGINATE IL DIALOGO

Il signore Alfredo è grosso. Pesa cento chili.

La signora Elena è magra.
Pesa soltanto quarantaquattro chili.

Mangia troppo. Ha molto appetito.

Mangia poco. Ha poco appetito.

Mangia troppi spaghetti.

Non mangia spaghetti.
Nel suo piatto c'è soltanto insalata verde.

Mangia il salame con le dita. Non usa la forchetta.

Mangia il salame con il coltello e la forchetta.

Mette molto zucchero nel caffè.
Prende lo zucchero con il cucchiaio.

Usa il cucchiaino.
Mette poco zucchero nel caffè.

Paola	1	Purtroppo è finita la giornata a Tivoli! È stata meravigliosa!
Claudia	2	Ho rifatto con piacere la passeggiata a Villa d'Este. È tanto romantica quella villa! Mi è sempre piaciuta!
Franco	3	Marcello, a parer tuo, a che ora arriveremo a Roma?
Marcello	4	Speriamo di arrivarci non troppo tardi. Mi pare che ci sia già l'ingorgo.
Franco	5	Invece della Tiburtina, perché non abbiamo preso l'autostrada? Sull'autostrada si può andare più veloci, non ti pare?
Marcello	6	Non temere, Franco. Stasera potrai vedere il Milan alla T.V.
Franco	7	Lo potrò vedere se arriveremo in tempo! Forza Marcello! Sorpassa questo pullman.
Paola	8	Attento Marcello! Sei imprudente! Potrebbe arrivare un'altra macchina!
Marcello	9	Ecco le prime case di Roma. Pazienza Franco!
Claudia	10	Quanto rumore! quanta gente! Tutta Roma è andata fuori oggi!
Paola	11	Fermati Marcello. Temo che il vigile abbia fischiato per noi.
Il vigile	12	Buona sera. Per favore, Signore, i documenti. È Sua questa macchina?
Marcello		No, è di mio padre. Perché? Che cosa succede?
Il vigile	13	Lei suona in città e non guarda il semaforo.
Marcello		Penso di essere passato col verde.
Il vigile	14	Ah sì? Io invece ho visto che Lei è passato col rosso. Può andar via. Avrà la multa. Buona sera.
Franco	15	Non ti preoccupare, Marcello. Sei un bravo guidatore. Arriverò in tempo per vedere la partita.

1A

	mi piace	Tivoli / Roma / Villa d'Este / questa macchina	mi è sempre piaciuta
		il rumore / andare veloce / guidare / suonare / sorpassare	mi è sempre piaciuto

1B

	mi piacciono	le gite / le passeggiate	mi sono sempre piaciute
		i gelati / gli sportivi / i bravi guidatori	mi sono sempre piaciuti

2

invece di	andare	a	Milano / Roma / Napoli	potrei / potresti / potrebbe / potremmo / potreste / potrebbero	andare	a	Firenze / Venezia / Genova / Torino

3

Forza	Marcello / ragazzi	!	se	arriveremo / partiremo	in tempo alle sei stasera	potrò / potrai / potrà // potremo / potrete / potranno	guardare la T.V. / seguire la partita

4

si può / si potrà / si potrebbe	andare / arrivare	più	veloci / presto	con	l'Alfa Romeo / l'autostrada	non ti pare?

5

pare / sembra	che	io sia / tu sia / Franco sia	in ritardo / imprudente / chiamato dal vigile
		noi siamo / voi siate / essi siano	chiamati dai vigili / imprudenti / in ritardo

		io abbia	ragione	
pare	che	tu abbia	una multa	
sembra		Marcello abbia	un'ora di ritardo	
		abbiamo	una bella macchina	
		abbiate	una macchina veloce	
		abbiano		6

temo				non ho preso l'autostrada	
penso	di	arrivare	in ritardo	c'è l'ingorgo	
		tornare		perché	
spero			in tempo	ho preso l'autostrada	
penso				non c'è l'ingorgo	7A

temo		tu		sorpassato il pullman	imprudentemente	
penso	che		abbia			
pare		il vigile		fischiato per noi	al semaforo	
sembra				fermato la macchina		7B

	Signore						non aspetta il verde	
Per favore	Signora	i documenti	Perché?	Perché	Lei	passa col rosso	
	Signorina					non guarda il semaforo	8

		Sua questa macchina				mia		
	è				è		è	
Signore		Suo questo cane				mio		
Signora			?	No, non			di	mio padre
Signorina		Sue queste chiavi				mie		mia madre
	sono				sono		sono	
		Suoi questi cani				miei		9

ESERCIZI

1 / 1A / **Mi piace il gelato...** / Risposta : **Il gelato mi è sempre piaciuto.**

mi piace il calcio
mi piace lo sport
mi piace il salame
mi piace il pane
mi piace camminare

mi piace bere
mi piace mangiare
mi piace giocare
mi piace nuotare
mi piace il gelato

2 / 1A / **Mi piace l'acqua minerale...** / Risposta : **L'acqua minerale mi è sempre piaciuta**

mi piace Roma
mi piace l'Alfa Romeo
mi piace la Fiat
mi piace l'ombra
mi piace la T.V.

mi piace la birra
mi piace la musica
mi piace Milano
mi piace la passeggiata a Tivoli
mi piace l'acqua minerale

3 / 1B / **Mi piacciono le Dolomiti...** / Risposta : **Le Dolomiti mi sono sempre piaciute**

mi piacciono le macchine italiane
mi piacciono le fontane di Roma
mi piacciono le gite a Tivoli

mi piacciono le specialità italiane
mi piacciono le autostrade
mi piacciono le Dolomiti

4 / 1B / **Mi piacciono gli alberi...** / Risposta : **Gli alberi mi sono sempre piaciuti**

mi piacciono gli uccelli
mi piacciono gli aperitivi francesi
mi piacciono gli sportivi

mi piacciono i dischi
mi piacciono i giardini
mi piacciono gli alberi

5 / 2 / **Guido l'Alfa Romeo...** / Risposta : **Anch'io potrei guidare l'Alfa Romeo**

ho la patente
vado a Tivoli
vado a cento all'ora
sorpasso il pullman

fischio
mangio molto
capisco l'italiano
guido l'Alfa Romeo

6 / 2 / **Guidi l'Alfa Romeo...** / Risposta : **Anche tu potresti guidare l'Alfa Romeo** (Cf. esercizio 5)

7 / 2 / **Paola guida l'Alfa Romeo...** / Risposta : **Anche mia sorella potrebbe guidare l'Alfa Romeo** (Cf. esercizio 5)

8 / 2 / **Invece di fare la gita potrei stare a casa...** / Risposta : **Invece di fare la gita potremmo stare a casa**

invece di andare al cinema potrei stare a casa
invece di partire per Milano potrei stare a casa
invece di andare allo stadio potrei stare a casa
invece di partire con la macchina potrei stare a casa
invece di andare alla piscina potrei stare a casa
invece di fare la gita a Tivoli potrei stare a casa.

9 / 2 / **Invece di fare la gita potresti stare a casa...** / Risposta : **Invece di fare la gita potreste stare a casa** (Cf. esercizio 8)

10 / 2 / **Invece di fare la gita la signorina potrebbe stare a casa...** / Risposta : **Invece di fare la gita le signorine potrebbero stare a casa** (Cf. esercizio 8)

11 / 2 / **io...** / Risposta : **con la macchina di Marcello potrei andare a 150**

tu	gli automobilisti	noi	tu
noi	io	i turisti	voi
Franco	voi	Claudia	io

12 / 3 / **il Milan...** / Risposta : **Domani potrò vedere il Milan alla T.V.**

la partita di calcio	Roma
la Fiat 2200	le Dolomiti
l'autostrada del Sole	il Milan

13 / 3 / **il Milan...** / Risposta : **Domani potrai vedere il Milan alla T.V.** (Cf. esercizio 12)

14 / 3 / **il Milan...** / Risposta : **Domani la gente potrà vedere il Milan alla T.V.** (Cf. esercizio 12)

15 / 3 / **il Milan...** / Risposta : **Domani potremo vedere il Milan alla T.V.** (Cf. esercizio 12)

16 / 3 / **il Milan...** / Risposta : **Domani potrete vedere il Milan alla T.V.** (Cf. esercizio 12)

17 / 3 / **il Milan...** / Risposta : **Domani tutti potranno vedere il Milan alla T.V.** (Cf. esercizio 12)

18 / 3 / **Ho la macchina, posso andare a Tivoli...** / Risposta : **Se avrò la macchina potrò andare a Tivoli**

abbiamo la macchina, possiamo andare a Tivoli	i ragazzi hanno la macchina, possono andare a Tivoli
hai la macchina, puoi andare a Tivoli	questo turista ha la macchina, può andare a Tivoli
avete la macchina, potete andare a Tivoli	ho la macchina, posso andare a Tivoli

19 / 3 / **Sorpassi il pullman, sei imprudente...** / Risposta : **Se sorpasserai il pullman sarai imprudente**

traversi l'autostrada, sei imprudente	guidi troppo veloce, sei imprudente
cammini sulla strada, sei imprudente	passi col rosso, sei imprudente
ti fermi sull'autostrada, sei imprudente	sorpassi il pullman, sei imprudente

20 / 3 / **Franco sorpassa il pullman, è imprudente...** / Risposta : **Se Franco sorpasserà il pullman sarà imprudente** (Cf. esercizio 19)

21 / 3 / **Sono in ritardo, prendo la macchina...** / Risposta : **Se sarò in ritardo prenderò la macchina**

siamo in ritardo, prendiamo la macchina	siete in ritardo, prendete la macchina
Paola è in ritardo, prende la macchina	i ragazzi sono in ritardo, prendono la macchina
sei in ritardo, prendi la macchina	sono in ritardo, prendo la macchina

22 / 3 / **Abito a Milano, ho un villino...** / Risposta : **Se abiterò a Milano, avrò un villino**

abitiamo a Milano, abbiamo un villino	i miei genitori abitano a Milano, hanno un villino
abiti a Milano, hai un villino	Paolo abita a Milano, ha un villino
abitate a Milano, avete un villino	abito a Milano, ho un villino

esercizi

23 / 5 / **Sono in ritardo...** / Risposta : **Pare ch'io sia in ritardo**

sono un campione
sono imprudente
sono chiamato dal vigile
sono bravo in italiano

sono troppo giovane
sono già vecchio
sono già venuto qui
sono in ritardo

24 / 5 / **Sei in ritardo...** / Risposta : **Mi pare che tu sia in ritardo** (Cf. esercizio 23)

25 / 5 / **Il signore Alfredo è in ritardo...** / Risposta : **Mi pare che il signore Alfredo sia in ritardo** (Cf. esercizio 23)

26 / 5 / **Sembra ch'io sia già venuto qui...** / Risposta : **Sembra che siamo già venuti qui ma non è vero**

sembra ch'io sia un buon custode
sembra ch'io sia bravo per nuotare
sembra ch'io sia gentile

sembra ch'io sia vecchio
sembra ch'io sia fortunato
sembra ch'io sia già venuto qui

27 / 5 / **Mi sembra che tu sia già venuto qui...** / Risposta : **Mi sembra che siate già venuti qui ma non è vero** (Cf. esercizio 26)

28 / 5 / **Mi sembra che questo signore sia già venuto qui...** / Risposta : **Mi sembra che questi signori siano già venuti qui ma non è vero** (Cf. esercizio 26)

● **29** / 5 / **Sono partito troppo tardi...** / Risposta : **Pare ch'io sia partito troppo tardi** / **Sei partito troppo tardi...** / Risposta : **Pare che tu sia partito troppo tardi**

sei arrivato tardi
siamo già venuti qui
è tornato a Roma
siete arrivati alle otto
sei partito a mezzogiorno
è passato per Milano
ci siamo alzati alle cinque

sono bravi automobilisti
sono aspettato a mezzanotte
siete già andati a Roma
sono seduti sotto l'albero
siete imprudenti
sono partito troppo tardi
sei partito troppo tardi

30 / 6 / **Ho ragione...** / Risposta : **Pare ch'io abbia ragione**

ho un bel cane
ho un buon custode
ho una bella macchina

ho una grande casa
ho tempo
ho ragione

31 / 6 / **Hai ragione...** / Risposta : **Pare che tu abbia ragione** (Cf. esercizio 30)

32 / 6 / **Tuo padre ha ragione...** / Risposta : **Pare che tuo padre abbia ragione** (Cf. esercizio 30)

33 / 6 / **Abbiamo un bel giardino...** / Risposta : **Pare che abbiamo un bel giardino**

abbiamo molti amici
abbiamo una macchina veloce
abbiamo una multa

abbiamo pochi amici
abbiamo poco tempo
abbiamo un bel giardino

34 / 6 / **Avete un bel giardino...** / Risposta : **Mi pare che abbiate un bel giardino** (Cf. esercizio 33)

35 / 6 / **I vicini hanno un bel giardino...** / Risposta : **Mi pare che i vicini abbiano un bel giardino** (Cf. esercizio 33)

36 / 6 / io... / Risposta : **Pare ch'io abbia ragione**

Franco	il vigile	noi	voi	i turisti
noi	voi	i vigili	tu	noi
tu	il cameriere	io	voi	io

37 / 7A / penso... / Risposta : **Penso di giocare a tennis con Paola**

spero	temo	spero	penso

38 / 7A / penso... / Risposta : **Penso di vedere Marcello allo stadio**

temo	spero	temo	penso

39 / 7B / penso... / Risposta : **Penso che tu abbia avuto una multa**

temo	pare	sembra	spero	penso

40 / 7B / sembra... / Risposta : **Sembra che tu sia in ritardo**

pare	penso	spero	temo	sembra

41 / 7B / Hai mangiato il salame... / Risposta : **Temo che tu abbia mangiato il salame**

hai avuto una multa	sei arrivato in ritardo
hai pagato tutto	hai avuto un'ora di ritardo
sei partito con la macchina	hai mangiato il salame

42 / 8 / Mangio troppo... / Risposta : **Ma no! Lei non mangia troppo!**

guido bene	ho preso la Tiburtina	vengo con Franco
suono in città	sono imprudente	dormo troppo
ho una bella casa	ascolto dischi italiani	posso uscire
prendo l'autostrada	faccio la passeggiata	guardo la T.V.
vado al cinema	pago tutto	mangio troppo

43 / 9 / È tua questa macchina?... / Risposta : **No, non è mia**

è tua questa bicicletta?	sono tue queste chiavi?
è tua questa moto?	sono tue queste macchine?
è tua questa casa?	sono tue queste lire?
è tuo questo libro?	sono tuoi questi cani?
è tuo questo disco?	sono tuoi questi dischi?
è tuo questo cane?	sono tuoi questi documenti?
è tua questa macchina?	sono tuoi questi libri?

44 / 9 / Di chi è questa macchina?... / Risposta : **Signore, è sua questa macchina? / Di chi sono queste chiavi?... /**
Risposta : **Signore, sono sue queste chiavi?**

di chi è questo gatto?	di chi sono queste lettere?
di chi è questo paniere?	di chi è questo disco?
di chi sono questi dischi?	di chi sono i documenti?
di chi sono questi cani?	di chi è questa macchina?
di chi è questa sedia?	di chi sono queste chiavi?

PARLIAMO INSIEME

Dove hanno fatto la passeggiata?
Perché Villa d'Este piace a Claudia?
Perché Franco ha paura di arrivare tardi?
Quale strada hanno preso?
È vero che sull'autostrada si può andare veloci?
Che cosa vuole vedere Franco alla T.V.?
Potrà vedere il Milan?
Perché è imprudente Marcello?
Perché Claudia dice che tutta Roma è andata fuori?

Vi piacerebbe andare a Tivoli? Perché?
Preferite l'autostrada o la statale?
Vi piace la velocità?
A che velocità si può andare sull'autostrada?
È prudente andare veloci?
È un bravo guidatore vostro padre?
Che cosa si fa prima di sorpassare?
Ci sono ingorghi nella vostra città?
A che ora c'è l'ingorgo?
Che cosa fanno i pedoni prudenti?

Chi fischia?
Che cosa fa Marcello?
Che cosa domanda il vigile?
Di chi è la macchina?
Perché ha fischiato il vigile?
È d'accordo con il vigile Marcello?
Che cosa avrà Marcello?
Ha ragione il vigile?
Perché è contento Franco?

Quando il vigile dà una multa?
Avete un portafoglio?
Avete i documenti nel portafoglio?
Avete la patente? Perché?
Vi piacerebbe avere una macchina veloce?
Vi piacerebbe guidare la macchina di vostro padre?
Sa guidare la vostra mamma?
Presta volentieri la sua macchina?
Conoscete una marca di macchine italiane?

GIOCO
Gioco del puzzle.

IMMAGINATE IL DIALOGO

In città, la gente cammina sul marciapiede.

I pedoni attraversano al passaggio pedonale.

La macchina va avanti.

La macchina va indietro.

Il signore gira a sinistra.

Il signore gira a destra.

Manca la benzina.
La signorina spinge la macchina.

Quest'automobilista va troppo piano.

Quest'automobilista va troppo forte.

Il ragazzo va a scuola in bicicletta.

Il giovane va al liceo in moto.

11 / PRONTO! CHI PARLA?

Marcello	1	Pronto! Chi parla?
Franco	2	Parla Franco. Ciao Marcello. Stai bene?
Marcello	3	Ah! Sei tu, Franco. Sto benissimo. Perché mi telefoni?
Franco	4	Nel pomeriggio vado in giro per i negozi con le ragazze.
Franco	5	Ti telefono perché tu venga con noi.
Marcello	6	Scusami. Non mi piace affatto andare in giro per i negozi.
Franco	7	Allora facciamo così. Ci vediamo alle sei.
Franco	8	Al caffè di Piazza Colonna. Ti va bene?
Marcello	9	D'accordo. Che cosa vuoi comprare?
Franco	10	Vorrei scegliere qualche regalo per Massimo e per i miei genitori.
Franco	11	Purtroppo bisogna ch'io pensi al ritorno a Milano.
Marcello	12	Se vai a far spese con le ragazze, sii prudente.
Franco	13	Perché dici questo?
Marcello		Perché ti faranno spendere molto anche se vorrai spendere poco.
Franco	14	Io spendere molto? Neanche per sogno!
Marcello	15	Scommetto che non saprai resistere.
Franco		Ed io ti dico che resisterò.
Marcello		Ed io dico di no! Ciao!

1

Non	mi	piace / piacciono	affatto	andare / i negozi le vie	in giro per i negozi a Roma al caffè / di Roma

2A

Pronto	!	Chi parla / Con chi parlo	?	Parla Franco

2B

Pronto	!	Sei tu / Siete voi	?	Sì	sono io / siamo noi

3

Bisogna	che	io tu egli essa — pensi / noi — pensiamo / voi — pensiate / essi esse — pensino	al ritorno agli amici a comprare qualche regalo a telefonare a Milano a vedere Paola alle 6

4

Bisogna	che	io venga / noi veniamo	subito	a casa tua a parlare con voi

telefono telefona telefoniamo telefonano	perché	tu venga Marcello venga veniate Paola e Claudia vengano	con noi a casa al caffè di Piazza Colonna a comprare regali

5

Che cosa	vorresti vorreste vorrebbe vorrebbero	comprare	?	vorrei vorremmo vorrebbe vorrebbero	scegliere	un regalo qualche regalo	per	Massimo i genitori

Nel pomeriggio	Franco	va in giro per i negozi	con	me te Paola lei Marcello lui noi voi	
		vuole comprare un regalo	per	gli amici le amiche loro	6A

Franco	vorrebbe	scegliere	un	regalo	per	sé	
Franco e Paola	vorrebbero	comprare	un	libro	per	sé	6B

dico			ho			
dici			hai			
dice	a tutti	che	ha	ragione un'Alfa Romeo il telefono un villino a Tivoli	ma non è vero!	
diciamo			abbiamo			
dite			avete			
dicono			hanno			7

Franco	sii	prudente	non spendere	troppo!	
ragazzi	siate	prudenti	non spendete		8

È vero	Anche se	vorrò	non	saprò	resistere rispondere	
		vorrai		saprai		
		vorrà		saprà		
		vorremo		sapremo		
		vorrete		saprete		
		vorranno		sapranno		9

ESERCIZI

1 / 1 / **Mi piace molto andare a Roma...** / Risposta: **Non mi piace affatto andare a Roma**

mi piace telefonare agli amici
mi piace comprare regali
mi piace scegliere regali
mi piace spendere molto

mi piacciono i negozi di Milano
mi piacciono i regali
mi piacciono le macchine italiane
mi piace molto andare a Roma

2 / 3 / **Oggi Marcello compie diciotto anni...** / **Compro un regalo...** / Risposta: **Bisogna ch'io pensi a comprare un regalo**

compro un disco
compro un giradischi
compro un registratore

compro un libro
compro una bicicletta
compro un regalo

3 / 3 / **Bisogna ch'io pensi a telefonare a casa...** / Risposta: **Bisogna che pensiamo a telefonare a casa**

bisogna ch'io pensi al ritorno
bisogna ch'io pensi a portare un regalo
bisogna ch'io pensi a comprare un libro
bisogna ch'io pensi a scegliere un regalo

bisogna ch'io pensi ad offrire un disco
bisogna ch'io pensi a comprare qualche libro
bisogna ch'io pensi agli amici
bisogna ch'io pensi a telefonare a casa

● **4** / 3 / **io...** / Risposta: **Bisogna ch'io pensi al ritorno**

tu
noi
Paola

voi
tu
gli amici

noi
io
i compagni

voi
mia madre
io

● **5** / 3 / **Compro una macchina italiana...** / Risposta: **Bisogna ch'io compri una macchina italiana**

Elena mangia un gelato
telefonate a casa
torniamo a Milano
parlo italiano
Marcello arriva alle nove
ascoltano i dischi in silenzio
aspettate la mamma al caffè
chiamano Paola al telefono
mi riposo a casa
entri in questo caffè
Marcello guarda la T.V.

si fermano davanti al vigile
lasci i dischi a casa
nuoto bene
paghi da bere a tutti
praticate tutti gli sport
si pettina bene
ci laviamo subito
porto un regalo
passiamo per Milano
ritrovo Franco al caffè
compro una macchina italiana

6 / 4 / **Vengo a casa...** / Risposta: **Bisogna ch'io venga a casa**

vengo al caffè
vengo in macchina
vengo con gli amici

vengo a guardare la T.V.
vengo subito
vengo a casa

7 / 4 / **Bisogna...** / Risposta: **Bisogna ch'io venga subito a casa**

Paola teme
Paola vuole
Paola spera
Paola è d'accordo perché

Paola non è d'accordo perché
Paola pensa
Paola telefona perché
bisogna

8 / 4 / **Bisogna ch'io venga a Milano...** / Risposta: **Bisogna che veniamo a Milano**

Franco telefona perché io venga subito   bisogna ch'io venga in bicicletta
Franco spera ch'io venga   Claudia spera ch'io venga a vederla
Franco vuole ch'io venga in macchina   bisogna ch'io venga a Milano

● **9** / 4 / **io...** / Risposta: **Claudia telefona perché io venga subito**

noi	tu	i suoi fratelli	tu
i ragazzi	voi	io	voi
sua sorella	noi	la mamma	io

● **10** / 4 / **tu...** / Risposta: **Telefono perché tu venga a casa** / **Portare un regalo...** / Risposta: **Telefono perché tu porti un regalo**

voi   pagare la bicicletta
comprare una bicicletta   mia madre
tu   voi
i miei genitori   venire a casa
mia sorella   tu

11 / 5 / **Vado in giro per i negozi... Che cosa vuoi comprare?...** / Risposta: **Vorrei comprare un libro**

che cosa vuoi vedere?   che cosa vuoi portare?
che cosa vuoi scegliere?   che cosa vuoi offrire?
che cosa vuoi prendere?   che cosa vuoi regalare?
che cosa vuoi guardare?   che cosa vuoi comprare?

12 / 5 / **Per Natale vorrei un giradischi...** / Risposta: **Anche noi vorremmo un giradischi per Natale**

vorrei mangiare un gelato   vorrei andare a Roma
vorrei molti regali   vorrei andare al cinema
vorrei vedere gli amici   vorrei telefonare ai nonni
vorrei avere una macchina   vorrei un giradischi

● **13** / 5 / **io...** / Risposta: **In settembre vorrei andare a Roma**

tu	Massimo	tu	noi
i francesi	i miei genitori	Elena	voi
noi	io	voi	io

14 / 6A / **Franco mi compra sempre molti regali...** / Risposta: **Franco compra sempre molti regali per me**

Franco mi porta sempre molti regali   Franco mi dà sempre molti regali
Franco mi offre sempre molti regali   Franco mi compra sempre molti regali

15 / 6A / **Franco ti compra sempre molti regali...** / Risposta: **Franco compra sempre molti regali per te** (Cf. esercizio 14)

16 / 6A / **Franco compra sempre molti regali per Paola...** / Risposta: **Franco compra sempre molti regali per lei** (Cf. esercizio 14)

17 / 6A / **Franco compra sempre molti regali per Massimo...** / Risposta: **Franco compra sempre molti regali per lui** (Cf. esercizio 14)

18 / 6A / **Franco ci compra sempre molti regali...** / Risposta: **Franco compra sempre molti regali per noi** (Cf. esercizio 14)

19 / 6A / **Franco vi compra sempre molti regali..**/ Risposta: **Franco compra sempre molti regali per voi** (Cf. esercizio 14)

20 / 6A / **Franco compra sempre molti regali per i genitori...** / Risposta: **Franco compra sempre molti regali per loro** (Cf. esercizio 14)

21 / 6A / **Franco compra sempre molti regali per le ragazze...** / Risposta: **Franco compra sempre molti regali per loro** (Cf. esercizio 14)

● **22** / 6A / **Vado al cinema, Paola vuole venire...** / Risposta: **Paola vuole venire con me**

andate a Tivoli, Paola vuole venire
vai alla piscina, Paola vuole venire
andiamo a Piazza Navona, Paola vuole venire
Franco va a telefonare, Paola vuole venire

gli studenti vanno al caffè, Paola vuole venire
Claudia va al supermercato, Paola vuole venire
le studentesse vanno a Roma, Paola vuole venire
vado al cinema, Paola vuole venire

23 / 6A / **Marcello viene alla piscina...** / Risposta : **Vengo con lui**

vieni alla piscina
venite alla piscina
i miei fratelli vengono alla piscina

le mie sorelle vengono alla piscina
Paola viene alla piscina
Marcello viene alla piscina

24 / 6B / **Marcello si sceglie una bella macchina...** / Risposta: **Marcello sceglie una bella macchina per sé**

Marcello si prende una bella macchina
Marcello e Franco si prendono una bella macchina
Marcello si compra una bella macchina
Marcello e Franco si comprano una bella macchina
Marcello e Franco si scelgono una bella macchina
Marcello si sceglie una bella macchina

25 / 7 / **Buon giorno...** / Risposta: **Dico buon giorno a tutti**

buona sera
ciao

arrivederci
grazie

complimenti
buon giorno

26 / 7 / **Buon giorno...** / Risposta: **Dici buon giorno a tutti** (Cf. esercizio 25)

27 / 7 / **Buon giorno...** / Risposta: **Il cameriere dice buon giorno a tutti** (Cf. esercizio 25)

28 / 7 / **Dico a Paola di telefonare...** / Risposta: **Diciamo a Paola di telefonare**

dico a Paola di venire a casa
dico a Paola di comprare un gelato
dico a Paola di andare a Milano

dico a Paola di spendere poco
dico a Paola di tornare
dico a Paola di telefonare

29 / 7 / **Dici a Paola di telefonare...** / Risposta : **Dite a Paola di telefonare** (Cf. esercizio 28)

30 / 7 / **Il nonno dice a Paola di telefonare...** / Risposta : **I nonni dicono a Paola di telefonare** (Cf. esercizio 28)

● **31** / 7 / **Ho ragione...** / Risposta : **Dico che ho ragione**

hai ragione	hai ragione	Franco e Marcello hanno ragione
Franco ha ragione	abbiamo ragione	avete ragione
avete ragione	il vigile ha ragione	ho ragione

32 / 8 / **Non sei prudente...** / Risposta : **Sii prudente**

non sei buono	non sei paziente	non sei contento
non sei simpatico	non sei gentile	non sei prudente

33 / 8 / **Non siete prudenti...** / Risposta : **Siate prudenti** (Cf. esercizio 32)

34 / 9 / **Oggi voglio l'Alfa Romeo...** / Risposta : **Domani non vorrò l'Alfa Romeo**

oggi voglio pagare	oggi voglio comprare molti regali
oggi voglio spendere molto	oggi voglio telefonare a Milano
oggi voglio scommettere	oggi voglio l'Alfa Romeo

35 / 9 / **Se vorrò mangiare prenderò la pastasciutta...** / Risposta : **Se vorremo mangiare prenderemo la pastasciutta**

se vorrò vedere Franco telefonerò	se vorrò andare a Tivoli prenderò l'Alfa
se vorrò spendere poco resisterò	se vorrò andare alla piscina telefonerò
se vorrò comprare l'Alfa spenderò molto	se vorrò mangiare prenderò la pastasciutta

● **36** / 9 / **Quando voglio mangiare, mangio il salame...** / Risposta : **Se vorrò mangiare, mangerò il salame**

voglio uscire, prendo la 600	Claudia vuole comprare regali, spende molto
vogliamo incontrare Marcello, aspettiamo	volete fare il picnic, portate il paniere
vuoi ascoltare i dischi, prendi il giradischi	vuoi essere magro, mangi poco
volete partire, prendete la macchina	Franco vuole aiutare Paola, perde tempo
vogliono andare a Tivoli, prendono la moto	vogliamo mangiare, prendiamo un salame
vogliono arrivare a mezzogiorno, partono alle 6	voglio mangiare, mangio il salame

37 / 9 / **parlare italiano...** / Risposta : **Fra poco saprò parlare italiano**

guidare	sciare	giocare a calcio	disegnare
andare in bicicletta	nuotare	fischiare	parlare italiano

38 / 9 / **Se vorrò saprò resistere...** / Risposta : **Se vorremo sapremo resistere**

se vorrò saprò guidare	se vorrò saprò nuotare
se vorrò saprò giocare a calcio	se vorrò saprò rispondere
se vorrò saprò sciare	se vorrò saprò resistere

● **39** / 9 / **io...** / Risposta : **Domani saprò scegliere meglio**

tu	il turista	io	tu
noi	i nostri amici	voi	io

PARLIAMO INSIEME

Chi telefona?
Come sta Marcello?
Perché telefona Franco?
Con chi va in giro per i negozi?
Vuole venire con Franco Marcello?
A che ora si ritroveranno gli amici?
Dove si ritroveranno?

Avete il telefono a casa?
Qual è il vostro numero?
Vi piace telefonare?
A chi telefonate?
Che cosa dite quando rispondete al telefono?
È utile il telefono?
Vi piace andare in giro per i negozi?
Vi piace comprare regali?
Quando comprate regali?

Che cosa vuol comprare Franco?
Perché vuole comprare dei regali?
Per chi comprerà dei regali?
Perché deve essere prudente?
Siete d'accordo con Marcello?
Che cosa scommette Marcello?
Che cosa risponde Franco?

Per chi comprate dei regali?
Spendete molto denaro quando andate a fare spese?
Avete un portafoglio?
È pieno o è vuoto?
Quanto denaro c'è nel vostro portafoglio?
Dove mettete il portafoglio?
Quante tasche avete?
Avete i documenti nel portafoglio?

GIOCO

Una domanda molte risposte

IMMAGINATE IL DIALOGO

Marco entra in un gran magazzino.

Il suo portafoglio è pieno di biglietti da mille.
Marco è ricco.

Marco compra molte cose.

Il portafoglio di Marco è vuoto.
Marco è povero.

Anche le tasche di Marco sono vuote.
Non ha neanche una lira!

12 / SI PUÒ SAPERE QUANTO L'HAI PAGATA?

Franco	1	Ciao Marcello!
Marcello		Ciao!
Franco	2	Uffa! Sono stanchissimo!
Marcello	3	Chi sa in quanti negozi ti avranno portato quelle ragazze!
Franco		Mi hanno fatto entrare in tutti i negozi di Via del Corso.
Marcello	4	Già. Ne ero sicuro. Proprio per questo non sono venuto.
Marcello	5	Quanti pacchi!
Franco	6	Mi sono rovinato! Prima di partire avevo ventimila lire. Non ho più niente!
Claudia	7	Ora ti facciamo vedere gli acquisti.
Claudia	8	Quest'automobilina è per Massimo.
Marcello		Bella!
Marcello	9	E per la mamma?
Franco		Le ho comprato questa sciarpa di seta!
Marcello		Hai scelto bene! È molto fine!
Franco	10	Per papà ho esitato a lungo tra un ombrello e una cravatta. Poi gli ho comprato la cravatta.
Franco	11	Sai, ultima novità. Con fiori gialli e grigi! Eccola!
Marcello	12	È questa la cravatta ultima novità?
Franco		Sì. Non ti piace?
Marcello	13	Sì che mi piace. Si può sapere quanto l'hai pagata?
Franco	14	Cinquemila lire. Perché?
Marcello	15	Perché ho comprato la stessa alcuni mesi fa per sole tremila lire! So spendere il denaro, io!

1

	mi			sono	stanchissimo
	ti	fatto		sei	molto stanco
	lo			è	contentissimo molto contento
	ci	hanno	entrare in tutti i negozi	siamo	stanchissimi
	vi	fatti		siete	molto stanchi
1	li			sono	contentissimi molto contenti

2

		avevo				ho	
		avevi				hai	
	prima di partire ieri	aveva	ventimila molte tante poche	lire	ora oggi	non	ha	più niente
		avevamo				abbiamo	
		avevate				avete	
2		avevano				hanno	

3

	ero eri era	sicuro contento		andare in giro per i negozi spendere poco
			di	
3	eravamo eravate erano	sicuri contenti	comprare	alcuni regali qualche regalo una novità delle novità

4

	Ne ero sicuro	mi sono rovinato per	papà	gli	ho comprato	un ombrello una sciarpa
4			la mamma	le		un disco dei dischi

5A

	è ecco	il gattino il fratellino l'uccellino l'automobilina il villino	di	Claudia Franco Paola Massimo
5A				

aspetterò ho aspettato		un momentino un pochino un'oretta		5B

so	scegliere comprare	le cravatte i regali	io		
sai			tu		
sa			lui	**!**	
sappiamo	resistere	ai ragazzi alle ragazze	noi		
sapete			voi		
sanno			loro		6

Franco	ha scelto bene è stato gentile	mi ti gli le ci vi	ha portato	un ombrello un registratore un giradischi dei dischi dei libri un gatto una sciarpa	7A

Che cosa ha portato	ai genitori agli amici alle amiche	**?**	ha portato loro	un disco un libro dei dischi	7B

Si può sapere quanto	hai pagato paghi pagate pagherai pagherete	**?**	ho pagato pago paghiamo pagherò pagheremo	3000 lire	8

ESERCIZI

● 1 / 1 / **Quest'automobilista è molto prudente, non ti pare?**... / Risposta: **Già, è prudentissimo**

questo ragazzo è molto giovane, non ti pare?
questo signore è molto vecchio
Franco è molto stanco
Marcello è molto bravo nel nuoto
questi uccelli sono molto neri
i nostri gelati sono molto piccoli
questi ombrelli sono molto belli

questa strada è molto sicura
Paola è molto impaziente
la tua sciarpa è molto cara
queste fontane sono molto vecchie
le italiane sono molto belle
la mia macchina è molto veloce
quest'automobilista è molto prudente

2 / 1 / **Paola vuole ch'io passi per Via Roma**... / Risposta: **Paola mi fa passare per Via Roma**

Paola vuole ch'io telefoni a Claudia
Paola vuole ch'io cammini presto
Paola vuole ch'io entri in tutti i negozi

Paola vuole ch'io torni nei negozi
Paola vuole ch'io parli italiano
Paola vuole ch'io passi per Via Roma

3 / 1 / **Paola vuole che tu passi per Via Roma**... / Risposta: **Paola ti fa passare per Via Roma** (Cf. esercizio 2)

4 / 1 / **Paola vuole che Marcello passi per Via Roma**... / Risposta: **Paola lo fa passare per Via Roma** (Cf. esercizio 2)

5 / Sc. 9 (2A) / **Paola vuole che sua madre passi per Via Roma**... / Risposta: **Paola la fa passare per Via Roma** (Cf. esercizio 2)

6 / 1 / **Paola vuole che passiamo per Via Roma**... / Risposta: **Paola ci fa passare per Via Roma** (Cf. esercizio 2)

7 / 1 / **Paola vuole che passiate per Via Roma**... /Risposta: **Paola vi fa passare per Via Roma** (Cf. esercizio 2)

8 / 1 / **Paola vuole che i ragazzi passino per Via Roma**... / Risposta: **Paola li fa passare per Via Roma** (Cf. esercizio 2)

9 / Sc. 9 (2A) / **Paola vuole che le ragazze passino per Via Roma**... / Risposta: **Paola le fa passare per Via Roma** (Cf. esercizio 2)

● 10 / 1 / **Nel pomeriggio vado in centro**... / Risposta: **Marcello mi porta in macchina**

nel pomeriggio andiamo in centro
nel pomeriggio mio fratello va in centro
nel pomeriggio i miei fratelli vanno in centro
nel pomeriggio andate in centro

nel pomeriggio le mie sorelle vanno in centro
nel pomeriggio mia sorella va in centro
nel pomeriggio vai in centro
nel pomeriggio vado in centro

11 / 2 / **Oggi ho ventimila lire**... / Risposta: **Ieri non avevo neanche una lira** / **Oggi ho due ombrelli**... Risposta: **Ieri non avevo neanche un ombrello**

oggi ho due sciarpe
oggi ho molti pacchi

oggi ho tre cravatte
oggi ho dieci dischi

oggi ho ventimila lire
oggi ho due ombrelli

12 / 2 / **Oggi hai ventimila lire**... / Risposta: **Ieri non avevi neanche una lira** (Cf. esercizio 11)

13 / 2 / **Oggi Paola ha ventimila lire...** / Risposta: **Ieri non aveva neanche una lira** (Cf. esercizio 11)

14 / 2 / **Oggi abbiamo molti regali...** / Risposta: **Ieri avevamo pochi regali**

oggi abbiamo molti amici   oggi abbiamo molto tempo
oggi abbiamo molti libri   oggi abbiamo molta fame
oggi abbiamo molti dischi   oggi abbiamo molta sete
oggi abbiamo molto denaro   oggi abbiamo molti regali

15 / 1 / **Oggi avete molti regali...** / Risposta: **Ieri avevate pochi regali** (Cf. esercizio 14)

16 / 2 / **Ora questi ragazzi hanno fame...** / Risposta: **Sicuro! prima di partire avevano già fame!**

ora questi ragazzi hanno sete   ora questi ragazzi hanno paura
ora questi ragazzi hanno caldo   ora questi ragazzi hanno ragione
ora questi ragazzi hanno freddo   ora questi ragazzi hanno fame

● **17** / 2 / **Ho un amico romano...** / Risposta: **L'anno scorso avevo già un amico romano**

ho una Fiat 500   avete un uccello giallo
hai una macchina veloce   hanno una settimana di vacanza
avete un televisore italiano hai un mese di vacanza
hanno dei dischi francesi   ha un ombrello nero
ha un buon registratore   abbiamo una sciarpa di seta
abbiamo un gatto grigio   ho un amico romano

18 / 3 / **Oggi sono contento di parlare con Paola...** / Risposta: **Ieri pure ero contento di parlare con Paola**

oggi sono sicuro di parlare con Paola   oggi sono impaziente di parlare con Paola
oggi sono fortunato di parlare con Paola   oggi sono contento di parlare con Paola

19 / 3 / **Oggi sei contento di parlare con Paola, non è vero?...** / Risposta: **Ieri pure eri contento di parlare con Paola** (Cf. esercizio 18)

20 / 3 /**Oggi Marcello è contento di parlare con Paola, non è vero?...** / Risposta: **Ieri pure Marcello era contento di parlare con Paola** (Cf. esercizio 18)

21 / 3 / **Ora siamo contenti...** / Risposta: **Prima di partire non eravamo contenti**

ora siamo stanchi   ora siamo poveri
ora siamo impazienti   ora siamo ricchi
ora siamo bravi guidatori ora siamo contenti

22 / 3 / **Ora siete contenti...** / Risposta: **Prima di partire non eravate contenti** (Cf. esercizio 21)

23 / 3 / **Ora i miei amici sono contenti...** / Risposta: **Prima di partire non erano contenti** (Cf. esercizio 21)

● **24** / 3 / **io...** / Risposta: **L'anno scorso ero sicuro di tornare a Roma**

tu	voi	mio padre	queste turiste
voi	noi	tu	mio fratello
i turisti francesi	io	noi	io

esercizi

● **25** / 3 / **Ero sicuro di comprare regali...** / Risposta : **Ero sicuro di comprare alcuni regali**

ero sicuro di comprare libri
ero sicuro di comprare fiori
ero sicuro di comprare dischi

ero sicuro di comprare cravatte
ero sicuro di comprare sciarpe
ero sicuro di comprare regali

● **26** / 3 / **Ero sicuro di comprare alcuni regali...** /Risposta : **Ero sicuro di comprare qualche regalo**

ero sicuro di comprare alcuni libri
ero sicuro di comprare alcuni fiori
ero sicuro di comprare alcuni dischi

ero sicuro di comprare alcune cravatte
ero sicuro di comprare alcune sciarpe
ero sicuro di comprare alcuni regali

27 / 4 / **Sai che cosa ho portato a papà? un ombrello...** / Risposta : **Gli ho portato un ombrello**

sai che cosa ho portato a Marcello? un disco
sai che cosa ho portato al nonno? un libro
sai che cosa ho portato allo zio? una cravatta

sai che cosa ho portato al francese? un registra-tore
sai che cosa ho portato al vigile? un cane
sai che cosa ho portato a papà? un ombrello

28 / 4 / **Che cosa hai comprato alla mamma? una sciarpa?...** / Risposta : **Sì, le ho comprato una sciarpa**

che cosa hai comprato a Claudia? un gelato?
che cosa hai comprato alla nonna? un disco?
che cosa hai comprato alla zia? un ombrello?

che cosa hai comprato alla cameriera? un libro?
che cosa hai comprato a tua sorella? dei fiori?
che cosa hai comprato alla mamma? una sciarpa?

● **29** / 4 / **Comprerò un disco per papà...** / Risposta : **Gli comprerò un disco** / **Comprerò un disco per la mamma...** / Risposta : **Le comprerò un disco**

comprerò un gatto per Massimo
comprerò un libro per Claudia
comprerò un gelato per Franco
comprerò un giradischi per Marcello

comprerò un ombrello per Paola
comprerò un cane per mia sorella
comprerò un disco per papà
comprerò un disco per la mamma

● **30** / 5A / **Guarda questo gatto!...** / Risposta : **Che bel gattino!**

guarda quest'uccello!
guarda questo ragazzo!
guarda questa ragazza!

guarda questo bicchiere!
guarda quest'automobile!
guarda questo gatto!

● **31** / 5B / **Ho aspettato un momento...** / Risposta : **Solo un momentino!** / **Ho aspettato un'ora** / Risposta : **Solo un'oretta!**

ho aspettato un mese *mesino/mesetto*
ho aspettato un poco *pochino/pochetto*

ho aspettato un momento *momentino*
ho aspettato un'ora *oretta*

● **32** / 5B / **Guarda questa casa...** / Risposta : **Che bella casetta!**

guarda questo vecchio!
guarda questo giardino!
guarda questa vecchia!

guarda questo libro!
guarda questa camera!
guarda questa casa!

33 / 6 / **Ho comprato una bella cravatta!...** / Risposta : **So comprare io!**

ho comprato dei bei libri
ho comprato dei bei fiori
ho comprato dei bei pantaloni

ho comprato dei bei dischi
ho comprato una bella sciarpa
ho comprato una bella cravatta

34 / 6 / **Hai comprato una bella cravatta...** / Risposta : **Complimenti, sai comprare tu!** (Cf. esercizio 33)

35 / 6 / **Papà ha comprato una bella cravatta!...** / Risposta : **Sa comprare, lui!**

mio nonno ha comprato un bel disegno
Franco ha comprato una bella macchina
il signore ha comprato una bella cravatta

il turista ha comprato una bella sciarpa
Alfredo ha comprato un bel quadro
papà ha comprato una bella cravatta

36 / 6 / **Claudia ha comprato dei bei fiori...** / Risposta : **Sa comprare, lei!**

la mamma ha comprato un bel gatto
mia zia ha comprato un bel cane
la cameriera ha comprato un buon gelato

Elena ha comprato un bel portafoglio
tua sorella ha comprato una bella sciarpa
Claudia ha comprato dei bei fiori

37 / 6 / **Abbiamo portato dei bei regali...** / Risposta : **Sappiamo portare regali, noi!**

abbiamo trovato dei bei regali
abbiamo comprato dei bei regali

abbiamo scelto dei bei regali
abbiamo portato dei bei regali

38 / 6 / **Avete portato dei bei regali...** / Risposta : **Sapete portare regali, voi!** (Cf. esercizio 37)

39 / 6 / **I francesi hanno pagato tutto...** / Risposta : **Sanno pagare, loro!**

i francesi hanno comprato tutto
i francesi hanno mangiato tutto

i francesi hanno guardato tutto
i francesi hanno pagato tutto

● **40** / 6 / **Franco comprerà una cravatta. Chi sa quanto pagherà?... io...** / Risposta : **So quanto pagherà**

gli amici	le sue amiche	noi	il cameriere
tu	voi	Claudia	i suoi compagni
noi	io	voi	io

● **41** / 7A / **Voglio un cane...** / Risposta : **Papà mi comprerà un cane**

voglio un disco italiano
vuoi una cravatta rossa
volete il salame italiano
Franco vuole una macchina francese
vogliamo dei dischi
voglio il gelato
Paola vuole la 500

vuoi un portafoglio nero
vogliamo dei fiori
volete un registratore
Massimo vuole il gatto bianco
Claudia vuole una sciarpa gialla
volete l'automobilina rossa
voglio un cane

42 / 7B / **Ho scelto una cravatta per i miei fratelli...** / Risposta : **Ho scelto loro una cravatta**

ho scelto un regalo per i genitori
ho scelto una sciarpa per le mie sorelle

ho scelto un disco italiano per gli amici
ho scelto una cravatta per i miei fratelli

● **43** / 7AB / **Ha portato dei fiori per noi...** / Risposta : **Ci ha portato dei fiori**

ha portato dei dischi per voi
ha portato una sciarpa per la mamma
ha portato un libro per papà
ha portato un gelato per Massimo
ha portato la macchina per voi
ha portato un gelato per me
ha portato dei fiori per i genitori

ha portato un regalo per Franco
ha portato l'aranciata per noi
ha portato l'acqua minerale per Paola
ha portato la birra per me
ha portato un regalo per te
ha portato dei dischi per le ragazze
ha portato dei fiori per noi

PARLIAMO INSIEME

Dov'è seduto Marcello?
Perché è stanchissimo?
In quanti negozi è entrato?
Perché Marcello non è andato con Franco?
Che cosa porta Franco?
Perché dice che si è rovinato?
Che cosa mostra Claudia?
Per chi è l'automobilina?

Vi piace andare in giro per i negozi?
Con la mamma? Con la sorella?
Siete stanchi quando tornate a casa? Perché?
Ci sono bei negozi nella vostra città?
Dove sono? In quali vie?
Preferite i negozi piccoli o i supermercati?
Quando andate in giro per i negozi con la
mamma, chi porta i pacchi?
Vi piace comprare?
Vi piace spendere denaro?
Che cosa comprate più volentieri?
(libri? dischi? vestiti?)
Spendete più volentieri il denaro per voi
o per fare regali?
Qual è l'ultimo regalo che avete avuto?

Che cosa ha comprato Franco per la mamma?
Piace questa sciarpa a Marcello?
Che cosa ha comprato Franco per il padre?
Tra quali regali ha esitato Franco?
Com'è questa cravatta?
Che cosa domanda Marcello a Franco?
Quanto ha pagato la cravatta, Franco?
È una novità questa cravatta? Perché?

Chi ha scelto questo regalo?
Che cosa regalate ai fratelli? alle sorelle?
ai genitori?
Avete delle sciarpe di seta? di lana?
Quando le mettete?
Avete un ombrello?
Avete molte cravatte?
Quali regali preferite? i regali utili o i regali
originali?
È originale offrire una cravatta al babbo? *padre*
Ha molte cravatte vostro padre?
Descrivete una cravatta di vostro padre.
Come sono le cravatte ultima novità?
Sapete spendere bene il vostro denaro?
Quanto denaro avete oggi nel portafoglio?

Guardate bene l'assassino. Com'è vestito?

IMMAGINATE IL DIALOGO

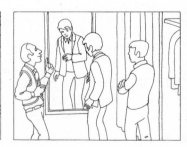

 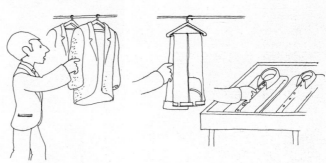 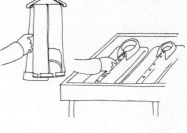

Che cosa desidera, Signore?   Vorrei una giacca di lana   dei pantaloni   una camicia.

Signore, questi pantaloni sono
troppo lunghi per Lei.

Signore, questi pantaloni sono
troppo corti per Lei.

 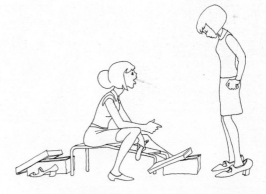

Signora, questa maglia è troppo piccola per Lei.   Signora, queste scarpe sono troppo grandi per Lei.

pull

127

13 / ZITTO! CATTIVA LINGUA!

Franco	1	Hai già ordinato qualcosa?
Marcello		No, non ancora, vi aspettavo. Cosa beviamo?
Paola	2	Cameriere, un succo di frutta per favore.
Il cameriere	3	Pera, uva o pesca?
Paola		Pera per favore.
Il cameriere	4	E Lei, Signorina, cosa desidera?
Claudia		Una spremuta di limone, con poco zucchero.
Il cameriere	5	Benissimo. E per Loro, Signori?
Franco		Per me, una spremuta di arancia.
Marcello	6	Anche per me, con molto ghiaccio La prego.
Il cameriere		Va bene, Signore. Le porterò molto ghiaccio.
Marcello		Grazie.
Claudia	7	Si sta bene in galleria.
Claudia	8	L'anno scorso venivo quasi ogni sera ad ascoltare l'orchestra.
Paola	9	Forse anche stasera verrà il cantante. Può darsi che si senta qualche canzone nuova.
Marcello	10	Dimmi, Paola, non hai comprato niente per te?
Paola	11	Ho preso soltanto l'ultimo numero di *Grazia*. Presenta la nuova moda per l'inverno.
Marcello	12	Fammi vedere. Come sono ridicole quelle donne con quei cappotti lunghissimi!
Claudia	13	Ti piacciono di più le minigonne, vero?
Marcello		L'hai detto!
Marcello	14	Ma sul serio vuoi indossare quei vestiti pesanti?
Claudia		Perché no?
Franco	15	Basta che le ragazze vedano una novità perché la vogliano comprare subito.
Claudia		Zitto! cattiva lingua!

1

l'anno scorso	prendevo / prendevi / prendeva / prendevamo / prendevate / prendevano	sempre	tè con limone / un caffè caldo	quest'anno	bevo / bevi / beve / beviamo / bevete / bevono	un succo di frutta / una spremuta di arancia

2

l'anno scorso	venivo / venivi / veniva / venivamo / venivate / venivano	ogni	sera / giorno	al caffè di Piazza Colonna	a	ascoltare / bere	l'orchestra / le canzoni / i cantanti / una birra / un'aranciata

3

ogni sera	aspettavo / aspettavi / aspettava / aspettavamo / aspettavate / aspettavano	il ritorno	degli amici di Franco	per	ordinare / bere	qualcosa / una spremuta di limone / un succo di frutta

4

Dimmi / Ditemi	quando	verrai / verrete / verrà Franco / verranno Franco e Paola	?	verrò / verremo / verrà / verranno	fra / quando	un'ora / mezz'ora / non farà più caldo / arriverà l'orchestra / ci sarà un cantante / ci saranno gli amici

5

Marcello	non ha	ordinato / preso / scelto / detto	niente	per	Lei / Loro	Signore / Signorina / Signori / Signorine

132

Signore Signora Signorina	La	prego	di	portarmi darmi	lo zucchero molto ghiaccio un'aranciata

6A

Se Lei	ha sete vuol	tornare a casa vedere Piazza Navona	Signora Signorina Signore	La	porto	a bere	un' aranciata una spremuta di limone
						in macchina	

6B

Lei Signorina Lei Signore	cosa desidera	**?**	un caffè un tè un'aranciata una birra molto ghiaccio lo zucchero	per favore	Le	porto	subito	il caffè il tè l'aranciata la birra molto ghiaccio lo zucchero

7

Basta che	io veda tu veda egli essa veda vediamo vediate vedano	una cosa nuova una novità una cravatta una sciarpa di seta una macchina italiana	perché	la	voglia vogliamo vogliate vogliano	comprare subito

8

Stasera	può darsi che	io senta tu senta egli essa senta sentiamo sentiate sentano	questo disco una nuova canzone l'orchestra di Roma questo cantante italiano	alla T.V. alla radio

9

ESERCIZI

1 / 1 / **Quest'anno prendo il caffè a mezzogiorno...** / Risposta : **L'anno scorso non prendevo mai il caffè a mezzogiorno**

quest'anno prendo l'aperitivo a Piazza Colonna   quest'anno prendo il caffè a casa
quest'anno prendo la birra prima di dormire   quest'anno prendo la spremuta prima di uscire
quest'anno prendo il caffellatte   quest'anno prendo il caffè a mezzogiorno

2 / 1 / **Quando avevo fame prendevo un pollo...** / Risposta : **Quando avevamo fame prendevamo un pollo**

quando avevo fame prendevo un salame   quando avevo fame prendevo molto pane
quando avevo fame prendevo un'insalata verde   quando avevo fame prendevo molto zucchero
quando avevo fame prendevo un uovo sodo   quando avevo fame prendevo un pollo

● **3** / 1 / io... / Risposta : **L'anno scorso quando volevo uscire prendevo la macchina**

noi	voi	noi	la Signora Neri
gli studenti	tu	tu	voi
il mio professore	io	i turisti	io

4 / 1 / **Mi piace la birra!...** / Risposta : **Quando ho sete bevo una birra!**

mi piace l'aranciata   mi piace l'acqua minerale
mi piace la spremuta d'arancia   mi piace il caffè freddo
mi piace la spremuta di limone   mi piace il succo di frutta
mi piace il tè con limone   mi piace la birra

5 / 1 / **Bevo sempre il caffè a mezzogiorno...** / Risposta : **Beviamo sempre il caffè a mezzogiorno**

bevo sempre la birra prima di dormire   bevo sempre una spremuta prima di andare al liceo
bevo sempre l'aranciata prima di mangiare   bevo sempre un caffè prima di dormire
bevo sempre il caffellatte prima di uscire   bevo sempre il caffè a mezzogiorno

● **6** / 1 / io... / Risposta : **Quando fa caldo bevo una birra**

noi	il mio vicino	i turisti	i giovani
tu	voi	tu	voi
io	noi	il vigile	io

7 / 2 / **Quest'anno vengo ogni sera in questo caffè...** / Risposta : **Anche l'anno scorso venivo in questo caffè**

quest'anno vengo a scuola in macchina   quest'anno vengo a comprare i libri qui
quest'anno vengo ad ascoltare l'orchestra   quest'anno vengo ad aspettare Marco a Piazza
quest'anno vengo spesso ad aiutare gli amici   Navona
                                                 quest'anno vengo ogni sera in questo caffè

8 / 2 / **L'anno scorso seguivo la partita alla T.V....** / Risposta : **L'anno scorso seguivamo la partita alla T.V.**

l'anno scorso dormivo bene   l'anno scorso capivo bene l'italiano
l'anno scorso uscivo di scuola all'una   l'anno scorso seguivo la partita alla T.V.

● **9** / 2 / io... / Risposta : **Due anni fa seguivo tutte le partite di calcio**

tu	voi	tu	mia sorella
noi	gli sportivi	voi	noi
io	l'amica di Paola	gli studenti	io

10 / 3 / **Vi aspetto per ordinare qualcosa**... / Risposta : **Vi aspettavo per ordinare qualcosa**

vi aspetto per andare a Tivoli
vi aspetto per andare a Piazza Navona
vi aspetto per andare a Piazza Colonna
vi aspetto per uscire
vi aspetto per chiamare il cameriere

vi aspetto per prendere l'aperitivo
vi aspetto per scegliere una gonna
vi aspetto per comprare una cravatta
vi aspetto per andare al cinema
vi aspetto per ordinare qualcosa

11 / 3 / **Aspettavo mezzogiorno per uscire**... / Risposta : **Aspettavamo mezzogiorno per uscire**

aspettavo mezzogiorno per mangiare
aspettavo mezzanotte per dormire
aspettavo la nuova moda per comprare un vestito
aspettavo il cameriere per ordinare qualcosa

aspettavo il ghiaccio per bere l'aperitivo
aspettavo lo zucchero per bere la spremuta
aspettavo la sera per andare a Tivoli
aspettavo la domenica per andare al cinema
aspettavo mezzogiorno per uscire

12 / 3 / **Compro Grazia ogni settimana**... / Risposta : **L'anno scorso non compravo mai Grazia**

compriamo Grazia ogni settimana
compri Grazia ogni settimana
mia sorella compra Grazia ogni settimana

comprano Grazia ogni settimana
comprate Grazia ogni settimana
compro Grazia ogni settimana

13 / 4 / **Quest'anno vengo solo il lunedì**... / Risposta : **L'anno prossimo verrò ogni giorno**

quest'anno vengo solo il martedì
quest'anno vengo solo il mercoledì
quest'anno vengo solo il giovedì
quest'anno vengo solo il sabato

quest'anno vengo solo il venerdì
quest'anno vengo solo la domenica
quest'anno vengo solo il sabato
quest'anno vengo solo il lunedì

14 / 4 / **Quest'anno vieni solo il lunedì**... / Risposta : **L'anno prossimo verrai ogni giorno.** (Cf. esercizio 13)

15 / 4 / **Quest'anno viene solo il lunedì**... / Risposta : **L'anno prossimo verrà ogni giorno** (Cf. esercizio 13)

16 / 4 / **Oggi veniamo alle otto**... / Risposta : **Anche domani verremo alle otto**

oggi veniamo a mezzogiorno
oggi veniamo all'una
oggi veniamo a mezzanotte

oggi veniamo alle due e mezzo
oggi veniamo alle nove
oggi veniamo alle otto

17 / 4 / **Verrai al cinema domani?**... / Risposta : **Certo, verrò al cinema**

verrai a Piazza Navona stasera?
verrete al caffè fra due ore?
verrà a Roma in agosto?

verranno a Milano in gennaio?
verrete in Italia durante le vacanze?
verrai al cinema domani?

18 / 4 / **io**... / Risposta : **Domani verrò con la Fiat**

noi	mio padre	tu	i camerieri
voi	noi	io	voi
tu	i tuoi amici	mia madre	io

19 / 5 / **Non ho ordinato niente per la signora**... / Risposta : **Non ho ordinato niente per Lei, Signora.**

non ho preso niente per la signora
non ho detto niente per la signora
non ho pagato niente per la signora
non ho comprato niente per la signora
non ho portato niente per la signora
non ho trovato niente per la signora

non ho preparato niente per la signora
non ho ricevuto niente per la signora
non ho potuto niente per la signora
non ho veduto niente per la signora
non ho guardato niente per la signora
non ho ordinato niente per la signora

20 / 5 / **Non ho ordinato niente per il signore**... / Risposta : **Non ho ordinato niente per Lei, Signore**
(Cf. esercizio 19)

21 / 5 / **Non ho ordinato niente per i signori**... / Risposta : **Non ho ordinato niente per Loro, signori**
(Cf. esercizio 19)

22 / 5 / **Non ho ordinato niente per le signore**... / Risposta : **Non ho ordinato niente per Loro, signore**
(Cf. esercizio 19)

23 / 6AB / **Vorrei andare al cinema**... / Risposta : **Bene, signore, La porto subito al cinema**

vorrei andare a Tivoli
vorrei andare a Roma
vorrei andare a Piazza Navona

vorrei andare al caffè di Piazza Colonna
vorrei andare allo stadio
vorrei andare al cinema

24 / 6AB / **Lei mi vede?**... / Risposta : **Certo che La vedo**

Lei mi aspetta?
Lei mi guarda?
Lei mi lascia qui?
Lei mi porta al cinema?
Lei mi capisce?

Lei mi crede?
Lei mi segue?
Lei mi sente bene?
Lei mi riconosce?
Lei mi vede?

25 / 7 / **Lei mi telefonerà?**... / Risposta : **Certo che Le telefonerò**

Lei mi porterà da mangiare?
Lei mi porterà molto ghiaccio?
Lei mi porterà lo zucchero?
Lei mi comprerà una macchina?
Lei mi offrirà l'aperitivo?

Lei mi preparerà la spremuta?
Lei mi aprirà la porta?
Lei mi offrirà il caffè?
Lei mi parlerà di Roma?
Lei mi telefonerà?

● **26** / 6AB, 7 / **Lei mi porterà a Roma?**... / Risposta : **No, non La porterò a Roma** / **Lei mi telefonerà?**... /
Risposta : **No, non Le telefonerò**

Lei mi guarderà?
Lei mi aprirà la porta?
Lei mi parlerà?
Lei mi offrirà dei fiori?
Lei mi lascerà qui?
Lei mi accompagnerà al cinema?

Lei verrà con me allo stadio?
Lei verrà con me al caffè?
Lei mi riceverà a casa?
Lei mi porterà in centro?
Lei mi porterà a Roma?
Lei mi telefonerà?

27 / 8 / **Quando vedo Franco sono contento**... / Risposta : **Basta ch'io veda Franco per essere contento**

quando vedo Paola sono contento   quando vedo Milano sono contento
quando vedo Marcello sono contento   quando vedo Tivoli sono contento
quando vedo Roma sono contento   quando vedo Franco sono contento

28 / 8 / **Può darsi che io veda Franco**... / Risposta : **Può darsi che vediamo Franco**

può darsi ch'io veda Marcello   può darsi ch'io veda Paola
può darsi ch'io veda Claudia   può darsi ch'io veda Franco

29 / 8 / **Quando metto questo vestito sono bella**... / Risposta : **Basta ch'io metta questo vestito per essere bella**

quando metti questo vestito sei bella   quando mettono questo vestito sono belle
quando Paola mette questo vestito è bella   quando metto questo vestito sono bella
quando mettete questo vestito siete belle   quando mettiamo questo vestito siamo belle

30 / 8 / **Voglio un braccialetto**... / Risposta : **Basta ch'io voglia un braccialetto per averlo**

voglio un vestito nuovo   voglio una collana
voglio una maglia   voglio una borsetta
voglio una giacca   voglio un braccialetto

31 / 8 / **Vogliono andare al caffè**... / Risposta : **Basta che vogliano andare al caffè e ci vanno**

vogliono andare a Piazza Colonna   vogliono andare in giro per i negozi
vogliono andare alla piscina   vogliono andare in Italia
vogliono andare allo stadio   vogliono andare al caffè

32 / 8   io... / Risposta : **Basta ch'io veda una cravatta perché io la voglia comprare subito**

tu   i turisti francesi   i giovani   voi
noi   io   voi   noi
questo signore   tu   mio fratello   io

33 / 9 / **Fra poco sentirò una nuova canzone**... / Risposta : **Può darsi ch'io senta una nuova canzone**

fra poco sentirò un nuovo disco   fra poco sentirò la mia canzone preferita
fra poco sentirò l'orchestra di Milano   fra poco sentirò un po' di musica
fra poco sentirò il cantante francese   fra poco sentirò una nuova canzone

34 / 9 / **È una canzone italiana**... / Risposta : **Basta che sentano una canzone italiana per essere contenti**

è un disco italiano   è un cantante italiano
è un'orchestra italiana   è una canzone italiana

35 / 9 / **Stasera offro il caffè a Paola**... / Risposta : **Può darsi ch'io offra il caffè a Paola**

offrono il tè a Paola   offrite qualcosa a Paola
offriamo un succo di frutta a Paola   mio fratello offre un portafoglio a Paola
offri una spremuta d'arancia a Paola   offro il caffè a Paola

GIOCO

Con chi vado al caffè stasera?

PARLIAMO INSIEME

Ha già ordinato qualcosa Marcello?
Perché non ha ordinato niente?
Che cosa vuol bere Paola?
Quali succhi di frutta si possono trovare in questo caffè?
Che cosa sceglie Paola?
Anche Claudia prende un succo di frutta?
Vuole molto zucchero Claudia?
Quale spremuta preferisce Franco?
Che cosa domanda Marcello per la spremuta?
È la prima volta che viene in questo caffè Claudia?

Andate spesso al caffè?
Che cosa bevete al caffè quando fa caldo? quando fa freddo?
Quale succo di frutta preferite?
Vi piace molto lo zucchero?
Vi piace il succo d'uva?
Preferite la pera o la pesca?
Mettete molto zucchero nella spremuta di limone?
Nella spremuta d'arancia? nel caffellatte?
Bevete il caffè senza zucchero?
Vi piace mettere del ghiaccio nell'acqua? nel vino? nell'aperitivo?
C'è un caffè con l'orchestra nella vostra città?
D'estate vi piace andare al caffè di sera?
Perché si sta bene al caffè di sera?
Conoscete il nome di una cantante o di un cantante italiano?

Perché ci veniva l'anno scorso?
Chi verrà forse?
Che cosa ascolteranno i nostri amici?
Ha comprato qualcosa per sé Paola?
Perché ha comprato l'ultimo numero di Grazia?
Piace la nuova moda a Marcello?
Come trova le donne?
Perché?
Che cosa preferisce Marcello?
Si comprerà un cappotto lungo Claudia?
Perché è una cattiva lingua Franco?

Conoscete una canzone italiana?
Che tipo di canzone preferite?
Citate il titolo di una canzone francese.
Citate il titolo di una canzone italiana.
Potete cantare una canzone recente?
Comprate dei giornali per voi?
Quanto costano questi giornali?
Leggete i giornali dei genitori?
Che cosa leggete sul giornale?
Guardate i settimanali di moda?
Conoscete dei giornali italiani?
Trovate la moda femminile di quest'anno ridicola?
Perché?
Vi piace la moda maschile di quest'anno?
Vi piacciono le minigonne? i cappotti lunghi?
È vero che le ragazze vogliono comprare subito le novità quando le vedono?

IMMAGINATE IL DIALOGO

138

Stasera Angela è invitata.

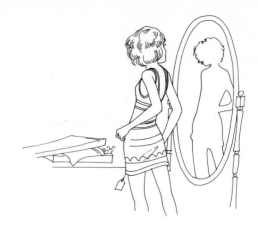

Mette un vestito nuovo.

Mette il fazzoletto nella borsetta.

Esita tra la collana, il braccialetto e l'anello.

Ciao, Angela, buon divertimento!

14 / CREDO CHE IL CIELO NON SIA D'ACCORDO

Franco	1	Ora che siamo insieme combiniamo qualcosa per stasera.
Marcello		Ottima idea. Dove andiamo? Andiamo a ballare? al cinema?
Paola	2	Come volete. Si può anche andare alle Terme di Caracalla. Mi pare che diano l'*Aida* stasera.
Franco	3	Bisogna guardare i programmi.
Paola		Esatto.
Paola	4	Cameriere, mi può dare il giornale della sera?
Il cameriere		Senz'altro, Signorina. Eccolo qua.
Paola		Grazie.
Paola	5	A parer mio, non c'è nessun film divertente!
Claudia	6	Ed io a ballare non ci vado. Oggi ho camminato troppo!
Paola	7	Se fosse possibile sarei felice di sentire l'*Aida*.
Claudia	8	Anch'io se non finisce troppo tardi.
	9	Ricordatevi che domani Marcello ci porta al mare. Dobbiamo partire alle sette per Fregene.
Franco	10	Mi pare che finisca a mezzanotte.
Claudia		Allora va bene.
Claudia	11	Però credo che il cielo non sia d'accordo. Guardate quei nuvoloni.
Paola		Mamma mia, torniamo a casa prima che scoppi il temporale!
Franco	12	Hai la macchina Marcello?
Marcello		Purtroppo non ce l'ho. Prendiamo l'autobus.
Claudia	13	Piove già forte. Chiamiamo piuttosto un tassì.
Marcello	14	Avreste fatto meglio a comprare l'ombrello invece della cravatta.
Claudia	15	Tassì!
Paola		Addio teatro!

1	andiamo a ballare?	Bravo Brava Buon'idea Ottima idea Che bell'idea	!	ma prima bisogna che	io finisca tu finisca egli finisca finiamo finiate finiscano	di mangiare

2	mi pare che credo che spero che	ci sia si dia diano	un film divertente l'Aida
		finisca	a mezzanotte alle undici

3	Bisogna che	io dia tu dia Franco dia Paola dia diamo diate diano	il giornale la spremuta l'ombrello la macchina	a	Marcello papà
				ai	miei amici
				alla	signora mamma

4	devo devi deve dobbiamo dovete devono	partire tornare a casa prendere l'autobus chiamare un tassì	alle sette alle dieci e mezzo	
			prima che	scoppi il temporale piova forte

5	Piove forte! Mamma mia che temporale!	purtroppo naturalmente	non ho	la macchina l'ombrello
		fortunatamente per fortuna finalmente	ho	trovato preso	un tassì

oggi piove		bisogna			
domani pioverà	forte	bisognerà	avere prendere	l'ombrello la macchina	
ieri pioveva		bisognava			6

	sarei saresti sarebbe	felice		l'Aida questa canzone quest'orchestra questo cantante	
Se fosse possibile	saremmo sareste sarebbero	felici	di sentire		7

	nessun	film programma cantante	divertente italiano francese	avrei avresti avrebbe avremmo	fatto meglio a	andare a ballare restare a casa	
non c'è	nessuna	canzone cantante	italiana francese	avreste avrebbero			8

	a	ballare sentire l'Aida teatro					vado	
Stasera vado	al	cinema caffè di Piazza Colonna	Andiamoci insieme	No	Non	ci	voglio posso	andare
								9

Cameriere	mi	può	dare portare	il giornale un altro caffè lo zucchero un cucchiaino	per favore?	Senz'altro	Signore Signora Signorina
							10

ESERCIZI

1 / 1 / **Prima di partire, bisogna finire la partita...** / Risposta : **Bisogna ch'io finisca la partita**

prima di partire bisogna finire la lettera
prima di partire bisogna finire il caffè
prima di partire bisogna finire la birra

prima di partire bisogna finire il caffellatte
prima di partire bisogna finire il gelato
prima di partire bisogna finire la partita

2 / 1 / **Prima di partire, bisogna finire la partita...** / Risposta : **Bisogna che tu finisca la partita** (Cf. esercizio 1)

3 / 1 / **Prima di partire, bisogna finire la partita...** / Risposta : **Bisogna che Marcello finisca la partita** (Cf. esercizio 1)

4 / 1 / **Bisogna ch'io finisca di leggere questo libro...** / Risposta : **Bisogna che finiamo di leggere questo libro**

bisogna ch'io finisca di leggere questo giornale
bisogna ch'io finisca di mangiare

bisogna ch'io finisca di preparare il tè
bisogna ch'io finisca di leggere questo libro

5 / 1 / **Bisogna che tu finisca di leggere questo libro...** / Risposta : **Bisogna che finiate di leggere questo libro** (Cf. esercizio 4)

6 / 1 /**Bisogna che la signorina finisca di leggere questo libro...** / Risposta : **Bisogna che le signorine finiscano di leggere questo libro** (Cf. esercizio 4)

● **7** / 1 / **Non finisco di mangiare alle dieci...** / Risposta : **Ma Paola crede ch'io finisca alle dieci** / **Non finiamo di mangiare alle dieci...** / Risposta : **Ma Paola crede che finiamo alle dieci**

non finisci di mangiare alle dieci
non finiscono di mangiare alle dieci
Franco non finisce di mangiare alle dieci

non finite di mangiare alle dieci
non finisco di mangiare alle dieci
non finiamo di mangiare alle dieci

● **8** / 1 / **Preferisco andare a ballare...** / Risposta : **Claudia pensa ch'io preferisca andare a ballare**

preferiamo andare a ballare
preferisci andare a ballare
preferite andare a ballare

Marcello preferisce andare a ballare
Franco e Marcello preferiscono andare a ballare
preferisco andare a ballare

● **9** / 2 / **C'è un film divertente...** / Risposta : **Spero che ci sia un film divertente**

c'è un caffè vicino
Franco vuole andare a ballare
Marcello balla bene
stasera danno l'Aida
il film finisce alle undici
avete mangiato bene
partono alle sette
torni a mezzogiorno
hanno la macchina
i turisti parlano italiano

avete tempo
prendono l'ombrello
comprano una Fiat
piove
non arriva a mezzanotte
papà è tornato
dormi bene
mia sorella guida bene
il cantante viene alle sei
c'è un film divertente

10 / 3 / **Non voglio dare il giornale...** / Risposta : **Purtroppo mio padre vuole ch'io lo dia**

non voglio dare l'ombrello
non voglio dare il programma
non voglio dare il disco

non voglio dare questo cane
non voglio dare questo gatto
non voglio dare il giornale

11 / 3 / **Non vuoi dare il giornale...**/ Risposta : **Purtroppo, tuo padre vuole che tu lo dia** (Cf. esercizio 10)

12 / 3 / **Il ragazzo non vuole dare il giornale...** / Risposta : **Purtroppo, suo padre vuole che lo dia** (Cf. esercizio 10)

13 / 3 / **Bisogna ch'io dia la bicicletta a Massimo...** / Risposta : **Bisogna che la diamo a Massimo**

bisogna ch'io dia l'automobilina a Massimo
bisogna ch'io dia la spremuta a Massimo
bisogna ch'io dia da bere a Massimo

bisogna ch'io dia da mangiare a Massimo
bisogna ch'io dia il giornale a Massimo
bisogna ch'io dia la bicicletta a Massimo

14 / 3 / **Bisogna che tu dia la bicicletta a Massimo...** / Risposta : **Bisogna che diate la bicicletta a Massimo** (Cf. esercizio 13)

15 / 3 / **Bisogna che il nonno dia la bicicletta a Massimo...** / Risposta : **Bisogna che i nonni diano la bicicletta a Massimo** (Cf. esercizio 13)

● **16** / 3 / **io...** / Risposta : **Bisogna ch'io dia cento lire al cameriere**

noi	il turista	il vigile	tu
tu	voi	io	voi
i signori	noi	gli studenti	io

● **17** / 3 / **voglio...** / Risposta : **Voglio che tu dia il giornale a Claudia**

bisogna	spero	temo	voglio

● **18** / 3 / **voglio...** / Risposta : **Voglio che diate il giornale a Claudia** (Cf. esercizio 17)

● **19** / 3 / **voglio...** / Risposta : **Voglio che i miei amici diano il giornale a Claudia** (Cf. esercizio 17)

20 / 4 / **Parto alle sette...** / Risposta : **Purtroppo devo partire alle sette**

prendo l'autobus alle sette
mangio alle sette
vado al cinema alle sette
compro il giornale alle sette

bevo il caffè alle sette
chiamo il tassì alle sette
vado a scuola alle sette
parto alle sette

21 / 4 / **Parti alle sette...** / Risposta : **Purtroppo devi partire alle sette** (Cf. esercizio 20)

22 / 4 / **Il professore parte alle sette...** / Risposta : **Il professore deve partire alle sette** (Cf. esercizio 20)

23 / 4 / **Devo partire prima che piova forte**... / Risposta : **Dobbiamo partire prima che piova forte**

devo uscire prima che piova forte   devo chiudere la finestra prima che piova forte
devo tornare a casa prima che piova forte devo chiamare il tassì prima che piova forte
devo prendere l'autobus prima che piova forte devo comprare l'impermeabile prima che piova
devo comprare l'ombrello prima che piova forte devo partire prima che piova forte

24 / 4 / **Devi partire prima che piova forte**... / Risposta : **Dovete partire prima che piova forte** (Cf. esercizio 23)

25 / 4 / **La professoressa deve partire prima che piova forte**... / Risposta : **Le professoresse devono partire prima che piova forte** (Cf. esercizio 23)

● **26** / 4 / **Piove forte. Non voglio uscire**... / Risposta : **Però devo uscire**/**Non vuole uscire**... / Risposta : **Però deve uscire**

Piove forte. Non vogliono uscire   Piove forte. Non volete uscire
Piove forte. Non vuoi uscire   Piove forte. Non vuole uscire
Piove forte. Non vogliamo uscire   Piove forte. Non voglio uscire

● **27** / 5 / **È fortunato, ha trovato un tassì**... / Risposta : **Fortunatamente ha trovato un tassì**

è gentile, mi parla   è prudente, arriva alle sette
è calmo, mi parla   è silenzioso, ci guarda
è puntuale, arriva alle sette   è fortunato, ha trovato un tassì

28 / 7 / **Vorrei andare a ballare**... / Risposta : **Sarei contento di andare a ballare**

vorrei andare alle Terme di Caracalla vorrei guidare l'Alfa Romeo
vorrei tornare a mezzanotte   vorrei uscire con gli amici
vorrei guidare la Fiat   vorrei seguire la moda
vorrei sentire l'Aida   vorrei andare a ballare

29 / 7 / **Vorresti andare a ballare**... / Risposta : **Saresti contento di andare a ballare** (Cf. esercizio 28)

30 / 7 / **Il nostro amico vorrebbe andare a ballare**... / Risposta : **Sarebbe contento di andare a ballare** (Cf. esercizio 28)

31 / 7 / **Vorremmo seguire la partita**... / Risposta : **Saremmo felici di seguire la partita**

vorremmo comprare la Fiat 500   vorremmo regalare un anello a Paola
vorremmo portare dei fiori   vorremmo avere molti vestiti
vorremmo andare nelle Dolomiti   vorremmo seguire la partita

32 / 7 / **Vorreste seguire la partita**... / Risposta : **Sareste felici di seguire la partita** (Cf. esercizio 31)

33 / 7 / **Questa francese vorrebbe seguire la partita**... / Risposta : **Queste francesi sarebbero felici di seguire la partita** (Cf. esercizio 31)

34 / 7 / io... / Risposta : **Se fosse mezzanotte sarei già a letto**

noi	voi	noi	voi
tu	io	gli studenti	tu
mio padre	il vigile	tutti	io

35 / 8 / **È già inverno. Ho l'impermeabile...** / Risposta : **Se fosse già inverno, avrei l'impermeabile**

è già inverno. Ho l'ombrello   è già inverno. Ho la maglia di lana
è già inverno. Ho il cappello   è già inverno. Ho la giacca di lana
è già inverno. Ho il cappotto   è già inverno. Ho l'impermeabile

36 / 8 / **È già inverno. Hai l'impermeabile...** / Risposta : **Se fosse già inverno avresti l'impermeabile** (Cf. esercizio 35)

37 / 8 / **È già inverno. La signora ha l'impermeabile...** / Risposta : **Se fosse già inverno la signora avrebbe l'impermeabile** (Cf. esercizio 35)

38 / 8 / **Se fosse possibile avrei la T.V....** / Risposta : **Se fosse possibile avremmo la T.V.**

se fosse possibile avrei l'Alfa Romeo   se fosse possibile avrei l'automobile
se fosse possibile avrei il villino   se fosse possibile avrei la bicicletta
se fosse possibile avrei un cane   se fosse possibile avrei la T.V.

39 / 8 / **Se fosse possibile avresti la T.V....** / Risposta : **Se fosse possibile avreste la T.V.** (Cf. esercizio 38)

40 / 8 / **Se fosse possibile lo studente avrebbe la T.V....** / Risposta : **Se fosse possibile gli studenti avrebbero la T.V.** (Cf. esercizio 38)

41 / 8 / **Non posso avere la macchina...** /Risposta : **Se fosse possibile avrei la macchina**

non potete avere la macchina   non puoi avere la macchina
Franco non può avere la macchina   non potete avere la macchina
gli studenti non possono avere la macchina   questa signora non può avere la macchina
io non posso avere la macchina   non possiamo avere la macchina
questi signori non possono avere la macchina   non posso avere la macchina

42 / 9 / **Vado a Roma...** / Risposta : **Ci vado anch'io**

vado a Milano   vado a teatro
vado in Italia   vado a ballare
vado a Piazza Navona   vado nelle Dolomiti
vado al cinema   vado a Roma

43 / 9 / **Andiamo al caffè...** / Risposta : **D'accordo, andiamoci**

andiamo a Tivoli   andiamo a prendere l'aperitivo
andiamo a Piazza Colonna   andiamo a Milano
andiamo a mangiare   andiamo al caffè

GIOCO

Gioco dell'impaziente

PARLIAMO INSIEME

Qual è l'idea di Franco?
È buona quest'idea?
Dove possono andare i nostri amici?
Che cosa dice Paola?
Che cosa danno alle Terme di Caracalla?
Che cosa vogliono guardare i giovani prima di decidere?
Dove si trovano i programmi?
A chi domandano il giornale?
Vuole andare al cinema Paola? Perché?
Vuole andare a ballare Claudia? Perché?

Vi piace combinare qualcosa con gli amici?
Che cosa si può combinare?
Preferite uscire da soli o con gli amici?
o con i genitori?
I vostri genitori vi lasciano uscire soli con i compagni?
Dite sempre ai genitori dove andate?
Vi piace ballare?
Ballate a casa vostra?
in casa d'amici? in famiglia?
In che occasione ballano i vostri genitori?
Ballate bene?
Conoscono le danze moderne i vostri genitori?
Da quanto tempo ballate?
Preferite andare al cinema o guardare la T.V.? Perché?
Potete citare un film recente?
Con chi andate al cinema?
Quanto costa il cinema nella vostra città?

Che cosa vuole sentire Paola?
È d'accordo Claudia?
Perché non vuole tornare tardi a casa?
A che ora devono partire per il mare?
A che ora finirà l'Aida?
Fa bel tempo?
Che cosa c'è nel cielo?
Ha la macchina Marcello?
Perché non prendono l'autobus?
Partono a piedi?
Che cosa prendono?

A che ora andate al cinema?
Quante volte al mese andate al cinema?
Vi piacciono i film divertenti?
Vi piacciono i film a colori?
Vi piace l'opera?
Conoscete l'Aida?
Conoscete un'altra opera?
Vi piace andare a letto tardi?
Vi piace alzarvi la mattina?
A che ora vi alzate la mattina?
A che ora andate a letto la sera?
Avete paura del temporale?
In che stagione ci sono molti temporali?
Vi piace uscire quando piove?
Uscite con il vostro cane? con il gatto?
Preferite prendere l'autobus o il tassì?
Quante volte alla settimana prendete l'autobus?
Di che colore sono gli autobus della città?
Sono cari i tassì nella vostra città?

IMMAGINATE IL DIALOGO

LE STAGIONI

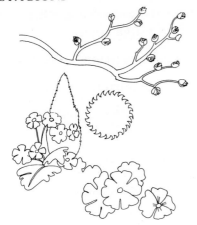

In primavera fa bel tempo.
Il sole brilla.

A Roma l'estate è calda.

In autunno piove molto.

A Milano l'inverno è freddo.
C'è molta nebbia.

Fa brutto tempo.

Quanta pioggia!
Non ho preso l'impermeabile.

Per fortuna ho il cappello.

15 / SI VEDRÀ CHI È IL PIÙ BRAVO.

Claudia	1	Siamo fortunati! C'è poca gente sulla spiaggia.
Franco		È ancora presto. La gente non verrà prima delle dieci.
Paola	2	Caro Marcello, se fossi gentile mi porteresti una sdraio.
Claudia	3	Caro Franco, se mi aprissi l'ombrellone, saresti un amore. Non ci riesco.
Franco	4	Comandate pure ragazze. Vi occorre altro?
Paola	5	Se trovi delle sigarette comprami un pacchetto di Nazionali.
Franco	6	Credevo che tu non fumassi più.
Paola		Invece oggi ho voglia di fumare.
Claudia	7	Ho dimenticato gli occhiali da sole nella cabina. Marcello, va a prenderli per cortesia.
Marcello	8	Credo che senza gli uomini le donne non possano far nulla.
Claudia	9	Impertinente! Se potessi ti butterei in mare.
Franco	10	Non servirebbe a niente. È un campione!
Marcello	11	Chi te l'ha detto?
Paola		Tu, quando ci siamo visti per la prima volta.
Marcello		Lo dicevo per scherzare!
Claudia	12	Scommetto che Franco è più veloce di te.
Paola		Fate la corsa.
Franco	13	D'accordo. Andiamo fino a quella boa rossa e torniamo.
Marcello		Va bene. Si vedrà chi è il più bravo.
Paola	14	Pronti? Do il via! 3, 2, 1, Via!
		Pluff!
Paola	15	Forza Marcello!
Claudia		Forza Franco!

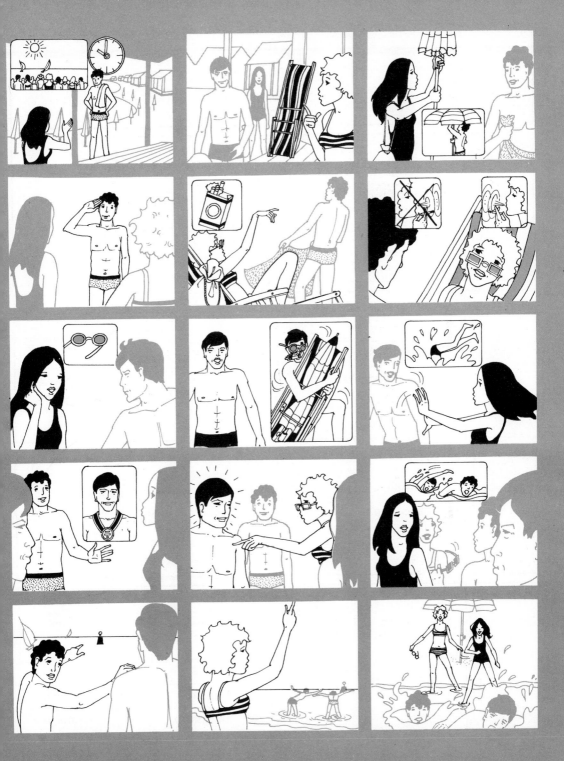

1

	Non	riesco riesci riesce riusciamo riuscite riescono	a	aprire trovare portare chiudere	l'ombrellone la sdraio

2

	Se	io fossi	gentile cortese	porterei	l'ombrellone la sedia le sigarette gli occhiali	a Claudia alle ragazze
		tu fossi		porteresti		
		egli fosse		porterebbe		
		fossimo	gentili cortesi	porteremmo		
		foste		portereste		
		fossero		porterebbero		

3

	Se	aprissi	l'ombrellone la sdraio la macchina la porta la finestra il paniere	sarei	gentile cortese
		aprissi		saresti	
		aprisse		sarebbe	
		aprissimo		saremmo	gentili cortesi
		apriste		sareste	
		aprissero		sarebbero	

4

	credo penso	che	senza	Franco Marcello gli amici	io tu Claudia	non	possa	far nulla portare la sdraio aprire l'ombrellone andare al mare
					noi		possiamo	
					voi		possiate	
					le donne		possano	

5

	Franco	credeva pensava sperava temeva	che	io	fumassi	invece	non	fumo
				tu	fumassi			fumi
				Paola	fumasse			fuma
				noi	fumassimo			fumiamo
				voi	fumaste			fumate
				questi uomini	fumassero			fumano

Scommetto	che	Franco Marcello	è	più meno	veloce gentile sportivo spiritoso cortese	di	me te Paola	6

Facciamo la corsa	Claudia le ragazze	vedrò vedrai vedrà vedremo vedrete vedranno	chi	è	il	più meno	bravo veloce sportivo	7

Se fosse	possibile permesso	mi ti si ci vi si	servirei serviresti servirebbe serviremmo servireste servirebbero	dell'ombrellone degli occhiali di **Paola** della sdraio dell'Alfa di Marcello	8

Se	potessi potessi potesse potessimo poteste potessero	mi ti si ci vi si	butterei butteresti butterebbe butteremmo buttereste butterebbero	in mare	ma	l'acqua è fredda c'è troppa gente è troppo presto	9

ieri l'anno scorso il mese scorso alcuni giorni fa	dicevo dicevi diceva dicevamo dicevate dicevano	di essere	un campione dei campioni	oggi	si vedrà vedremo	chi	è il più bravo sono i più bravi	10

ESERCIZI

1 / 1 / **È aperta la cabina?...** / Risposta: **No, non riesco ad aprirla**

è aperta la porta?
è aperta la finestra?
è aperta la macchina?

è aperta la sdraia?
è aperta l'automobile?
è aperta la cabina?

2 / 1 / **È aperta la cabina?...** / Risposta: **No, Franco non riesce ad aprirla** (Cf. esercizio 1)

3 / 1 / **È aperta la cabina?...** / Risposta: **No, non riusciamo ad aprirla** (Cf. esercizio 1)

4 / 1 / **È aperta la cabina?...** / Risposta: **No, i ragazzi non riescono ad aprirla** (Cf. esercizio 1)

5 / 1 / **Non riesco a chiudere l'ombrellone...** / Risposta: **Neanche tu riesci a chiuderlo**

non riesco a chiudere l'ombrello
non riesco a chiudere il pacco
non riesco a chiudere il giradischi

non riesco a chiudere il registratore
non riesco a chiudere il braccialetto
non riesco a chiudere l'ombrellone

6 / 1 / **Non riusciamo a chiudere l'ombrellone...** / Risposta: **Neanche voi riuscite a chiuderlo** (Cf. esercizio 5)

● **7** / 1 / **io...** / Risposta: **La mattina non esco prima delle sette**

voi	tu	voi	i miei amici
noi	la gente	tu	noi
i vicini	io	Franco	io

8 / 2 / **Sono gentile, porto la sdraio di Paola...** / Risposta: **Se fossi gentile, porterei la sdraia di Paola**

sono gentile, porto l'ombrellone di Paola
sono gentile, porto la borsetta di Paola

sono gentile, porto la sedia di Paola
sono gentile, porto la sdraia di Paola

9 / 2 / **Sei gentile, porti la sedia di Paola...** / Risposta: **Se fossi gentile, porteresti la sedia di Paola** (Cf. esercizio 8)

10 / 2 / **Franco è gentile, porta la sdraio di Paola...** / Risposta: **Se Franco fosse gentile, porterebbe la sdraia di Paola** (Cf. esercizio 8)

11 / 2 / **Se fossi ricco, porterei Claudia al cinema...** / Risposta: **Se fossimo ricchi, porteremmo Claudia al cinema**

se fossi ricco, porterei Claudia a teatro
se fossi ricco, porterei Claudia a ballare

se fossi ricco, porterei Claudia a sciare
se fossi ricco, porterei Claudia al cinema

12 / 2 / **Se fossi ricco, porteresti Claudia al cinema...** / Risposta: **Se foste ricchi, portereste Claudia al cinema** (Cf. esercizio 11)

13 / 2 / **Se il mio amico fosse ricco, porterebbe Claudia al cinema...** / Risposta: **Se i miei amici fossero ricchi porterebbero Claudia al cinema** (Cf. esercizio 11)

● **14** / 2 / **io...** / Risposta: **Se fossi al mare, nuoterei dalla mattina alla sera**

noi	Massimo	tu	Elena
il campione	i ragazzi	voi	noi
i turisti	voi	tu	io

● **15** / 2 / **Franco compra le sigarette perché è gentile**... / Risposta : **Se Franco fosse gentile, comprerebbe le sigarette**

ci portate al mare perché siete gentili
non sorpassi il pullman perché sei prudente
ti buttano in mare perché sono impertinenti

scherzo sempre perché sono felice
fumiamo delle Nazionali perché siamo italiani
Franco compra delle sigarette perché è gentile

● **16** / 2 / **Non sono ancora le sei! non mi alzo!**... / Risposta : **Se fossero le sei, mi alzerei**

la birra non è fresca! non la compriamo!
non sono sportivi! non nuotano bene!
non sono italiano! non abito a Roma!
non è ancora mezzogiorno! non mangio!

non siete gentili! non telefonate alla mamma!
non sei affamato! non mangi la pastasciutta!
non siamo gentili! non ascoltiamo Paola!
non sono ancora le sei! non mi alzo!

17 / 3. / **Parto alle dieci, sono fortunato**... / Risposta : **Se partissi alle dieci, sarei fortunato**

parto per la spiaggia, sono fortunato
parto per il mare, sono fortunato
parto con la macchina, sono fortunato

parto per Fregene, sono fortunato
parto con gli amici, sono fortunato
parto alle dieci, sono fortunato

18 / 3 / **Partiamo a mezzogiorno, siamo in ritardo**... / Risposta : **Se partissimo a mezzogiorno, saremmo in ritardo**

partiamo con le ragazze, siamo in ritardo
partiamo senza la macchina, siamo in ritardo
partiamo a piedi, siamo in ritardo

partiamo con la bicicletta, siamo in ritardo
partiamo con il tassì, siamo in ritardo
partiamo a mezzogiorno, siamo in ritardo

● **19** / 3 / **io**... / Risposta : **Se aprissi la borsetta, troverei le sigarette**

noi	voi	papà	le ragazze
tu	noi	i compagni	tu
Franco	io	voi	io

20 / 4 / **Senza la macchina non posso andare al mare**... / Risposta : **Credo che senza la macchina io non possa andare al mare**

senza l'Alfa non posso arrivare in tempo
senza occhiali non posso guardare il mare
senza occhiali non posso guidare

senza ombrellone non posso restare sulla spiaggia
senza la macchina non posso andare al mare

21 / 4 / **Andiamo a Fregene**... / Risposta : **Però tutti credono che non possiamo andare a Fregene**

apriamo l'ombrellone
troviamo una sdraia

nuotiamo fino alla boa
torniamo subito

ripartiamo subito
andiamo a Fregene

● **22** / 4 / **io**... / **La gente non crede ch'io possa nuotare fino alla boa**

noi	tu	io	questi ragazzi
questo sportivo	mia sorella	voi	tu
voi	noi	le ragazze	io

23 / 5 / **Non fumavo molto**... / Risposta : **Però mia madre pensava ch'io fumassi molto**

non nuotavo bene
non guidavo bene

non mangiavo molto
non cantavo bene

non andavo al mare
non fumavo molto

esercizi

24 / 5 / **Non fumavi molto...** / Risposta : **Però tua madre pensava che tu fumassi molto** (Cf. esercizio 23)

25 / 5 / **Il mio amico non fumava molto...** / Risposta : **Però sua madre pensava che fumasse molto** (Cf. esercizio 23)

26 / 5 / **Non parliamo francese...** / Risposta : **Però la gente pensava che parlassimo francese**

non abitiamo a Roma
non andiamo alla piscina
non guardiamo la T.V.

non torniamo a casa a mezzogiorno
non telefoniamo spesso
non parliamo francese

27 / 5 / **Non parlate francese...** / Risposta : **Però la gente pensava che parlaste francese** (Cf. esercizio 26)

28 / 5 / **Questi signori non parlano francese...** / Risposta : **Però la gente pensava che parlassero francese**

● **29** / 6 / **Papà teme che tu fumi troppo...** / Risposta : **Papà temeva che tu fumassi troppo** (Cf. esercizio 26)

papà teme che fumiamo troppo
papà teme che Claudia fumi troppo
papà teme che fumiate troppo

papà teme che i fratelli fumino troppo
papà teme ch'io fumi troppo
papà teme che tu fumi troppo

● **30** / 6 / **Le francesi sono belle però le italiane sono più belle...** / Risposta : **Le italiane sono ancora più belle delle francesi**

la città è bella però la spiaggia è ancora più bella
Franco è sportivo però Marcello è ancora più sportivo
la pioggia è fredda però la nebbia è ancora più fredda
la Fiat 1500 è veloce però la Fiat 2000 è ancora più veloce
l'asciugamano è piccolo però il tuo costume da bagno è ancora più piccolo
sei contento però io sono ancora più contento
le francesi sono belle però le italiane sono ancora più belle

● **31** / 6 / **L'autunno e l'inverno sono freddi...** / Risposta : **L'autunno è meno freddo dell'inverno**

la bicicletta e la macchina sono rapide
Franco e il professore sono giovani
l'acqua minerale e il vino sono cari

la porta e la finestra sono larghe
Firenze e Milano sono grandi
l'autunno e l'inverno sono freddi

32 / 7 / **Oggi parto per Roma...** / Risposta : **Fra poco vedrò Roma**

oggi parto per Milano
oggi parto per l'Italia
oggi parto per Fregene

oggi parto per Tivoli
oggi parto per Napoli
oggi parto per Roma

33 / 7 / **Domani vedrò gli amici sulla spiaggia...** / Risposta : **Domani vedremo gli amici sulla spiaggia**

domani vedrò gli amici a Tivoli
domani vedrò gli amici a Piazza Navona

domani vedrò gli amici a Piazza Colonna
domani vedrò gli amici sulla spiaggia

● **34** / 7 / **Non vedo mai mio padre...** / Risposta : **Finalmente, domani lo vedrò**

non vedi mai tuo fratello
non vediamo mai nostra sorella
non vedono mai i loro amici

non vedete mai le vostre amiche
non vede mai sua madre
non vedo mai mio padre

35 / 7 / io... / Risposta : **Fra un mese vedrò Milano**

noi	questo francese	voi	tu
tu	io	i turisti	i miei amici
voi	il mio vicino	noi	io

36 / 8 / **Per favore, mi posso servire della cabina?...** / Risposta : **Se fosse possibile, mi servirei della cabina**

per favore mi posso servire della macchina?   per favore mi posso servire dell'asciugamano?
per favore mi posso servire della sdraio?   per favore mi posso servire dell'ombrellone?
per favore mi posso servire dell'ombrello?   per favore mi posso servire della cabina?

37 / 8 / **Per favore, ci possiamo servire della cabina?...** / Risposta : **Se fosse possibile ci serviremmo della cabina** (Cf. esercizio 36)

38 / 8 / **Per favore, questi ragazzi si possono servire della cabina?...** / Risposta : **Se fosse possibile questi ragazzi si servirebbero della cabina** (Cf. esercizio 36)

39 / 8 / **Se fosse possibile, mi servirei della cabina...** / Risposta : **Anche tu ti serviresti della cabina**

se fosse possibile, mi servirei dell'ombrellone   se fosse possibile, mi servirei della moto
se fosse possibile, mi servirei dell'asciugamano   se fosse possibile, mi servirei del registratore
se fosse possibile, mi servirei della bicicletta   se fosse possibile, mi servirei della cabina

40 / 8 / **Se fosse possibile, ci serviremmo della cabina...** / Risposta : **Anche voi vi servireste della cabina** (Cf. esercizio 39)

41 / 8 / **Se fosse possibile, i ragazzi si servirebbero della cabina...** / Risposta : **Anche Franco si servirebbe della cabina** (Cf. esercizio 39)

42 / 8 / io... / Risposta : **Se Franco venisse, io partirei subito**

voi	Marcello	tu	tu
gli amici	le ragazze	io	i miei genitori
noi	voi	noi	io

43 / 9 / **Non posso comandare...** / Risposta : **Se potessi comanderei**

non posso nuotare fino alla boa   non posso fumare
non posso dimenticare il liceo   non posso tornare a Fregene
non posso buttare Claudia in mare   non posso comprare l'Alfa
non posso comprare la 500   non posso comandare

44 / 9 / **Purtroppo non possiamo vedere la boa...** / Risposta : **Ah! se potessimo vedere la boa!**

Purtroppo non possiamo vedere Claudia   Purtroppo non possiamo fare la doccia
Purtroppo non possiamo avere l'ombrellone   Purtroppo non possiamo aspettare
Purtroppo non possiamo portare le sigarette   Purtroppo non possiamo andare al mare
Purtroppo non possiamo aprire la cabina   Purtroppo non possiamo vedere la boa

45 / 9 / **Ho la sdraio, sono contento...** / Risposta : **Se avessi la sdraio, sarei contento**

abbiamo la macchina, siamo contenti   ha un bell'asciugamano, è contento
avete l'ombrellone, siete contenti   hai gli occhiali da sole, sei contento
hanno la chiave della cabina, sono contenti   ho la sdraio, sono contento

● **46** / 9 / **Se vedrò il mare, sarò contento**... /Risposta: **Se vedessi il mare, sarei contento**

se riceverai gli amici sarai contento
se potremo venire saremo contenti
se vorrà partire alle dieci sarà puntuale
se chiuderete la cabina sarete prudenti
se vedrò il mare sarò fortunato
se Franco ti butterà in mare griderai
se vi asciugherete sarete pronti per partire

se prenderai gli occhiali sarai prudenti
se si metteranno all'ombra saranno prudenti
se non pioverà sarà una bella passeggiata
se avremo la macchina partiremo alle undici
se uscirò dalla cabina tutti mi guarderanno
se tirerà vento il mare sarà mosso
se vedrò il mare sarò contento

47 / 10 / **Oggi sono felice!**... / Risposta: **Anche ieri dicevo di essere felice!**

oggi sono fortunato
oggi sono gentile

oggi sono stanco
oggi sono ricco

oggi sono contento
oggi sono felice

● **48** / 10 / **L'anno scorso, gli dicevo di andare al mare**... / Risposta: **Noi invece, gli dicevamo sempre di non andare al mare**

l'anno scorso gli dicevo di nuotare
l'anno scorso gli dicevo di andare al cinema
l'anno scorso gli dicevo di andare a teatro

l'anno scorso gli dicevo di mangiare poco
l'anno scorso gli dicevo di andare a Roma
l'anno scorso gli dicevo di andare al mare

49 / 10 / **L'anno scorso, mio padre mi diceva di andare al mare**.../ Risposta: **L'anno scorso, i miei genitori mi dicevano sempre di andare al mare** (Cf. esercizio 48)

● **50** / 10 / **io**... / Risposta: **Ieri dicevo di essere un campione, ma non è vero**

noi
tu
voi

questi signori
io
voi

noi
i vostri amici
Marcello

tu
noi
io

● **51** / 10 / **Su questa spiaggia, ci sono due donne molto belle**... / Risposta: **Sono le più belle della spiaggia**

in questa città c'è una spiaggia molto piccola
in questa casa ci sono due finestre molto piccole
su questa spiaggia c'è un ombrellone molto bello
in questa città ci sono due sportivi molto bravi
su questa spiaggia ci sono due donne molto belle

GIOCO

Gioco dei desideri

PARLIAMO INSIEME

Perché sono fortunati i nostri amici?
Perché c'è poca gente sulla spiaggia?
Quando verrà la gente?
Che cosa domanda Paola a Marcello?
Che cosa non riesce ad aprire Claudia?
Chi va a prendere le sigarette?
Qual è la marca delle sigarette?
Dove sono gli occhiali di Claudia?
Perché sono nella cabina?
Chi va a prendere gli occhiali?
Perché è impertinente Marcello?
Che cosa vorrebbe fare Claudia?

Vi piace andare al mare?
A che ora andate sulla spiaggia?
A quale spiaggia andate d'estate?
Vi piace quando c'è molta gente?
Prendete una sdraia? un ombrellone?
Ci sono delle sdraie e degli ombrelloni
sulla spiaggia dove andate?
Vi mettete sotto l'ombrellone?
Chi si mette sotto l'ombrellone?
Avete già fumato? a casa? al liceo?
Quali sigarette preferite?

Perché non servirebbe a niente buttare Marcello
in mare?
È davvero un campione Marcello?
Che cosa ha detto Marcello quando si sono
incontrati per la prima volta?
Perché l'aveva detto?
Che cosa vuole Paola?
Chi scommette?
Dove devono andare i ragazzi?
Perché è rossa la boa?
Chi dà il via?
Che cosa gridano le ragazze?

Vi lasciano fumare i vostri genitori? Perché?
Fuma il vostro papà? la mamma? il nonno? il
fratello? la sorella?
Quanto costa un pacchetto di sigarette?
D'estate portate gli occhiali da sole?
Quando li mettete?
Li dimenticate spesso?
È vero che le donne non possano far niente
senza gli uomini?
Nuotate bene?
Al mare nuotate fino alle boe?

IMMAGINATE IL DIALOGO

La signora Rossi è dentro la cabina.   Suo marito aspetta fuori.   La signora esce dalla cabina.

La signora fa il bagno.   Tira vento, il mare è mosso.

Tutti la guardano.
Bello questo costume da bagno!

Aiuto! aiuto!
Il Signor Rossi corre ad aiutare la moglie.   La signora fa la doccia.   Si asciuga con l'asciugamano.

Franco	1	Bravo, Marcello! Hai vinto! L'anno scorso facevo i cento metri in due minuti. Ma riconosco che sei più veloce di me.
Marcello	2	Ma no. Quasi vincevi tu. Basta che tu vada più spesso alla piscina per nuotare meglio di me.
Franco	3	Ah! Se ci fosse una piscina nel mio quartiere ci andrei ogni giorno. Ma quella più vicina si trova a due chilometri da casa mia.
Paola	4	Io dico che siete tutti e due degli ottimi nuotatori.
Claudia		Dovrebbero partecipare ai campionati.
Franco	5	Invece di scherzare, buttatevi in acqua, su!
Paola	6	Sono venuta qua soprattutto per abbronzarmi.
Claudia	7	Si sta tanto bene sdraiati sulla sabbia!
Franco	8	Prenderesti meglio la tintarella se facessi il bagno.
Claudia	9	E tu, invece della tintarella ti sei già preso un bel colpo di sole.
Franco	10	Mamma mia, è vero. Mi brucia la schiena.
Marcello	11	Abbi pazienza! Non è niente.
Franco	12	Speriamo che tu dica la verità. Non vorrei tornare a Milano rosso come un gambero.
Paola	13	Su, Claudia! Non facciamo come lui. Tuffiamoci!
Franco	14	Mentre farete il bagno andrò a prenotare il tavolo al ristorante. Quale preferite?
Marcello	15	Quello in pineta. È meglio che tu stia all'ombra.
Franco		A fra poco.

1	l'anno scorso il mese scorso la settimana scorsa	facevo facevi faceva facevamo facevate facevano	i cento metri in due minuti

2	Basta Bisogna	che	io tu egli — vada andiamo andiate vadano	spesso	alla piscina al mare	per vincere Franco

3	Se ci fosse	una piscina	più vicina meno cara lontana	ci	andrei andresti andrebbe andremmo andreste andrebbero	volentieri ogni giorno spesso

4	Domani	andrò andrai andrà andremo andrete andranno	alla piscina al ristorante	Quale **?**	quella quello	meno lontana più vicina in pineta meno caro in riva al mare

5	Quali	piscine ristoranti	preferisci preferite scegli scegliete **?**	preferisco preferiamo scelgo scegliamo	quelle quelli	meno lontane care col giardino in pineta

sono		dovrei		
sei	un ottimo nuotatore un'ottima nuotatrice	dovresti		
è		dovrebbe	partecipare ai campionati vincere la corsa	
siamo		dovremmo		
siete	ottimi nuotatori ottime nuotatrici	dovreste		
sono		dovrebbero		6

Se	facessi	il bagno	prenderei	
	facessi		prenderesti	
	facesse		prenderebbe	meglio la tintarella
	facessimo		prenderemmo	
	faceste		prendereste	
	facessero		prenderebbero	7

mi	brucia	la schiena	Abbi	pazienza	Non è niente!	
ci			Abbiate			8

Franco Paola	spera teme	che	io tu Marcello	dica	la verità
			diciamo diciate dicano		9

Che bel colpo di sole!	è meglio bisogna Claudia vuole Paola desidera	che	io tu egli	stia	all'ombra sotto l'ombrellone sotto i pini in giardino
			stiamo stiate stiano		10

ESERCIZI

1 / 1 / **Ogni sabato faccio la passeggiata a Fregene...** / Risposta: **L'anno scorso non facevo mai la passeggiata a Fregene**

ogni sabato faccio la gita a Tivoli
ogni sabato faccio il bagno a Fregene

ogni sabato faccio la corsa con Franco
ogni sabato faccio la passeggiata a Fregene

2 / 1 / **La settimana prossima faremo la gita insieme...** / Risposta: **L'anno scorso facevamo sempre la gita insieme**

la settimana prossima faremo il picnic insieme
la settimana prossima faremo un regalo a
   Franco

la settimana prossima faremo la pastasciutta
   per tutti
la settimana prossima faremo la gita insieme

● **3** / 1 / **io...** / Risposta: **L'anno scorso facevo i cinquanta metri in trenta secondi**

noi	mia sorella	Anna	noi
essi	noi	voi	voi
tu	tu	le ragazze	io

● **4** / 1 / Sc. 7(10) / **Oggi faccio il bagno...** / Risposta: **L'anno scorso facevo già il bagno, e anche domani farò il bagno**

oggi facciamo il bagno
oggi fanno il bagno
oggi fai il bagno

oggi fate il bagno
oggi Marcello fa il bagno
oggi faccio il bagno

5 / 2 / **Evviva l'ombra!...** / Risposta: **Che caldo! Bisogna ch'io vada all'ombra!**

evviva la piscina!
evviva il mare!

evviva Fregene!
evviva l'ombra!

6 / 2 / **È mezzogiorno. Bisogna mangiare...** / Risposta: **Bisogna che tu vada a mangiare**

bisogna andare al ristorante
bisogna prenotare un tavolo

bisogna fare il bagno
bisogna mangiare

7 / 2 / **È mezzogiorno. Bisogna mangiare...** / Risposta: **Bisogna che Anna vada a mangiare**
(Cf. esercizio 6)

8 / 2 / **Non vogliamo andare al mare...** / Risposta: **Però bisogna che ci andiamo spesso**

non vogliamo andare alla piscina
non vogliamo andare alla spiaggia

non vogliamo andare al ristorante
non vogliamo andare al mare

9 / 2 / **Non volete andare al mare...** / Risposta: **Però bisogna che ci andiate spesso**
(Cf. esercizio 8)

10 / 2 / **Non vogliono andare al mare...** / Risposta: **Però bisogna che ci vadano spesso**
(Cf. esercizio 8)

● **11** / 2 / **Vado spesso alla piscina... pensano...** / Risposta: **Pensano ch'io vada spesso alla piscina**

credono	vogliono	temono	pensano

● **12** / 2 / **Vado spesso in Italia...** / Risposta: **La gente crede ch'io vada spesso in Italia**

andiamo spesso in Italia
gli studenti vanno spesso in Italia
vai spesso in Italia

andate spesso in Italia
il professore va spesso in Italia
vado spesso in Italia

13 / 3 / **Non ho denaro per andare al ristorante...** / Risposta: **Se avessi denaro, andrei al ristorante**

non ho denaro per andare in Italia
non ho denaro per andare alla piscina
non ho denaro per andare a Roma

non ho denaro per andare al caffè
non ho denaro per andare a bere l'aperitivo
non ho denaro per andare al ristorante

14 / 3 / **Non hai denaro per andare al ristorante...** / Risposta: **Se tu avessi denaro andresti al ristorante** (Cf. esercizio 13)

15 / 3 / **Questo giovanotto non ha denaro per andare al ristorante...** / Risposta: **Se avesse denaro andrebbe al ristorante** (Cf. esercizio 13)

16 / 3 / **Ogni mese andiamo al ristorante...** / Risposta: **Se fosse meno caro ci andremmo più spesso**

ogni mese andiamo al cinema
ogni mese andiamo allo stadio

ogni mese andiamo a teatro
ogni mese andiamo al ristorante

17 / 3 / **Ogni mese andate al ristorante...** / Risposta: **Se fosse meno caro ci andreste più spesso** (Cf. esercizio 16)

18 / 3 / **La piscina è a due chilometri...** / Risposta: **Se fosse meno lontana i giovani ci andrebbero ogni giorno**

la pineta è a quindici chilometri
la spiaggia è a venti chilometri

la città è a trenta chilometri
la piscina è a due chilometri

● **19** / 3 / **Quando ho la macchina vado al mare...** / Risposta: **Se avessi la macchina andrei al mare**

quando avete denaro andate al ristorante
quando hai un bel colpo di sole vai all'ombra
quando abbiamo fame andiamo al ristorante

quando ha tempo va alla piscina
quando hanno sete vanno al caffè
quando ho la macchina vado al mare

20 / 4 / **Oggi pomeriggio vado alla piscina...** / Risposta: **Anche domani andrò alla piscina**

oggi pomeriggio vado a nuotare
oggi pomeriggio vado a giocare a tennis

oggi pomeriggio vado in pineta
oggi pomeriggio vado alla piscina

21 / 4 / **Quando fa bel tempo andiamo al mare...** / Risposta: **Quando farà bel tempo andremo al mare**

quando fa bel tempo andiamo in montagna
quando fa bel tempo andiamo a passeggiare

quando fa bel tempo andiamo a nuotare
quando fa bel tempo andiamo al mare

● **22** / 4 / **Due giorni fa sono andato a Fregene...** / Risposta: **Fra tre giorni andrò a Tivoli**

due giorni fa è andato a Fregene
due giorni fa sei andato a Fregene
due giorni fa siete andati a Fregene

due giorni fa siamo andati a Fregene
due giorni fa sono andati a Fregene
due giorni fa sono andato a Fregene

23 / 5 / **Ecco due ombrelloni. Quale preferisci?... rosso...** / Risposta: **Preferisco quello rosso**

bianco   verde   giallo   azzurro   rosso

24 / 5 / **Ecco due maglie. Quale preferisci?... nera...** / Risposta: **Preferisco quella nera**

azzurra   verde   bianca   rossa   nera

25 / 5 / **Ecco gli asciugamani. Quali preferite?... rossi...** / Risposta: **Preferiamo quelli rossi**

bianchi   verdi   azzurri   gialli   rossi

26 / 5 / **Ecco le cravatte. Quali preferite?... gialle** / Risposta: **Preferiamo quelle gialle**

verdi   grigie   nere   rosse   gialle

● **27** / 5 / **Quale spiaggia preferisci?...** / Risposta: **Quella più vicina** / **Quale cinema preferisci?...** / Risposta: **Quello più vicino**

quale ristorante preferisci?   quale tavolo preferisci?
quale piscina preferisci?   quale teatro preferisci?
quale cabina preferisci?   quale spiaggia preferisci?

● **28** / 5 / **Quali caffè preferite?...** / Risposta: **Preferiamo quelli meno cari** / **Quali sigarette preferite?...** / Risposta: **Preferiamo quelle meno care**

quali ristoranti preferite?   quali fiori preferite?
quali cinema preferite?   quali giornali preferite?
quali macchine preferite?   quali caffè preferite?
quali scarpe preferite?   quali sigarette preferite?

29 / 6 / **Sono più veloce di Franco...** / Risposta: **Dovrei vincere**

sono più sportivo di Franco   sono più fortunato di Franco
sono più bravo di Franco   sono più veloce di Franco

30 / 6 / **Dovrei fare il bagno, ma fa troppo freddo...** / Risposta: **Dovremmo fare il bagno, ma fa troppo freddo**

dovrei nuotare ma fa troppo freddo   dovrei andare sulla spiaggia ma fa troppo freddo
dovrei andare fino alla boa ma fa troppo freddo dovrei fare il bagno ma fa troppo freddo

31 / 6 / **Se tu volessi diventare un campione dovresti andare alla piscina...** / Risposta: **Se voleste diventare dei campioni dovreste andare alla piscina**

se tu volessi diventare sportivo dovresti andare alla piscina
se tu volessi diventare bravo dovresti andare alla piscina
se tu volessi diventare un ottimo nuotatore dovresti andare alla piscina
se tu volessi diventare un campione dovresti andare alla piscina

32 / 6 / **Se la signora fosse prudente dovrebbe guidare piano...** / Risposta: **Se le signore fossero prudenti dovrebbero guidare piano.**

se la signora fosse prudente dovrebbe andare piano
se la signora fosse prudente dovrebbe camminare sul marciapiede
se la signora fosse prudente dovrebbe stare all'ombra
se la signora fosse prudente dovrebbe aprire l'ombrellone
se la signora fosse prudente dovrebbe guidare piano

● **33** / 6 / **Se andassi in Italia... io...** / Risposta : **Se andassi in Italia, dovrei parlare italiano**

se andaste in Italia... voi   se andassero in Italia... loro
se andassimo in Italia... noi   se andasse in Italia... lui
se andassi in Italia... tu   se andassi in Italia... io

34 / 7 / **Per favore, l'ombrellone...** / Risposta : **Se facesse caldo, prenderei l'ombrellone**

per favore, l'aranciata   per favore, la birra
per favore, il gelato   per favore, l'ombrellone

35 / 7 / **Facciamo la gita a Fregene, prendiamo il pullman...** / Risposta : **D'accordo. Se facessimo la gita, prenderemmo il pullman**

facciamo il picnic a Tivoli, prendiamo l'Alfa
facciamo il bagno a Fregene, prendiamo la sdraia
facciamo la passeggiata a Piazza Navona, prendiamo il tassì
facciamo la gita a Fregene, prendiamo il pullman

36 / 7 / **Fate la gita a Fregene, prendete il pullman...** / Risposta : **Se faceste la gita a Fregene, prendereste il pullman** (Cf. esercizio 35)

37 / 7 / **Quando fanno la gita a Fregene, prendono il pullman...** / Risposta : **Se facessero la gita a Fregene, prenderebbero il pullman** (Cf. esercizio 35)

● **38** / 7 / **Se Marcello mi offrisse una sigaretta...** / Risposta : **La prenderei subito**

se Marcello vi offrisse una sigaretta   se Marcello le offrisse una sigaretta
se Marcello ci offrisse una sigaretta   se Marcello offrisse una sigaretta alle ragazze
se Marcello gli offrisse una sigaretta   se Marcello ci offrisse una sigaretta
se Marcello ti offrisse una sigaretta   se Marcello mi offrisse una sigaretta

● **39** / 7 / **Io non faccio i cento metri in due minuti...** / Risposta : **Però tutta la gente credeva ch'io facessi i cento metri in due minuti**

non facciamo i cento metri in due minuti   Franco non fa i cento metri in due minuti
non fai i cento metri in due minuti   le ragazze non fanno i cento metri in due minuti
non fate i cento metri in due minuti   non faccio i cento metri in due minuti

40 / 9 / **Papà vuole...** / Risposta : **Papà vuole ch'io dica la verità**

papà crede   papà desidera   papà non crede   papà non vuole
papà pensa   papà teme   papà non pensa   papà vuole

41 / 9 / **È inutile ch'io dica di essere un campione. Nessuno mi crede...** / Risposta : **È inutile che diciamo di essere dei campioni. Nessuno ci crede**

è inutile ch'io dica di essere un ottimo nuotatore. Nessuno mi crede.
è inutile ch'io dica di essere felice. Nessuno mi crede.
è inutile ch'io dica di essere infelice. Nessuno mi crede.
è inutile ch'io dica di essere un campione. Nessuno mi crede.

42 / 9 / **È inutile che tu dica di essere un campione. Nessuno ti crede...** / Risposta : **È inutile che diciate di essere dei campioni. Nessuno vi crede** (Cf. esercizio 41)

43 / 9 / **È inutile che questo giovane dica di essere un campione. Nessuno lo crede...** / Risposta : **È inutile che questi giovani dicano di essere dei campioni. Nessuno li crede** (Cf. esercizio 41)

● **44** / 9 / **io...** / Risposta : **Basta ch'io dica la verità per non essere creduto**

noi	io	l'automobilista	la mamma
tu	le donne	noi	voi
le ragazze	voi	tu	io

45 / 10 / **Vado all'ombra...** / Risposta : **È meglio ch'io stia all'ombra**

vado in pineta	vado sulla sabbia
vado sulla spiaggia	vado vicino al mare
vado a letto	vado all'ombra

46 / 10 / **Vai all'ombra...** / Risposta : **È meglio che tu stia all'ombra** (Cf. esercizio 45)

47 / 10 / **Il signore va all'ombra...** / Risposta : **È meglio che il signor Verdi stia all'ombra** (Cf. esercizio 45)

48 / 10 / **Non vogliamo stare sdraiati...** / Risposta : **Però bisogna che stiamo sdraiati**

non vogliamo stare sotto l'ombrellone	non vogliamo stare zitti
non vogliamo stare sotto i pini	non vogliamo stare sdraiati

49 / 10 / **Non volete stare sdraiati...** / Risposta : **Però bisogna che stiate sdraiati** (Cf. esercizio 48)

50 / 10 / **Non vogliono stare sdraiati...** / Risposta : **Però bisogna che stiano sdraiati** (Cf. esercizio 48)

● **51** / 10 / **Sto male sulla sabbia...** / Risposta : **Però Claudia non sa ch'io stia male**

state male sulla sabbia	i suoi amici stanno male sulla sabbia
stai male sulla sabbia	stiamo male sulla sabbia
sua sorella sta male sulla sabbia	sto male sulla sabbia

● **52** / 10 / **Mi piace parlare...** / Risposta : **Purtroppo tutti vogliono ch'io stia zitto**

ci piace parlare	le piace parlare
ti piace parlare	gli piace parlare
vi piace parlare	alle ragazze piace parlare
ai giovani piace parlare	mi piace parlare

GIOCO

ritratto robot

PARLIAMO INSIEME

Chi ha vinto?
In quanto tempo Franco faceva i 100 metri l'anno scorso?
Che cosa deve fare Franco per vincere?
Perché non va ogni giorno alla piscina?
Dove si trova la piscina più vicina?
Perché è venuta al mare Paola?
Vuole buttarsi in acqua Claudia?
Dov'è sdraiata?

In quanto tempo fate i cento metri al nuoto? alla corsa?
Vi piace nuotare?
Vi piace vincere?
Andate spesso alla piscina? Quando?
Con chi?
Ci sono molte piscine nella vostra città?
Pagate caro per entrare?
È vero che quando si va spesso alla piscina si diventa più veloci?
A quanti chilometri da casa vostra si trova la piscina?
Siete ottimi nuotatori?
Avete già partecipato ai campionati?

Che cosa si deve fare per prendere la tintarella?
Che cosa si è preso Franco?
Dove ha preso il colpo di sole?
Di che cosa ha paura?
Perché si tuffano Paola e Claudia?
Dove va Franco?
Perché va a prenotare il tavolo?
Quale ristorante preferiscono?
Perché Franco deve stare all'ombra?

Andate al mare per nuotare o per abbronzarvi?
Abbronzate facilmente?
Quanto tempo restate sulla spiaggia?
Vi mettete sotto l'ombrellone?
Avete un cappello?
Avete gli occhiali da sole?
Prendete facilmente i colpi di sole?
Avete già mangiato un gambero? Quando?
Vi piace tuffarvi o entrate a poco a poco nell'acqua?
Vi piace andare al ristorante?
Prenotate il tavolo quando andate al ristorante?
Vi piace andare in pineta? perché?
C'è una pineta vicina?

IMMAGINATE IL DIALOGO

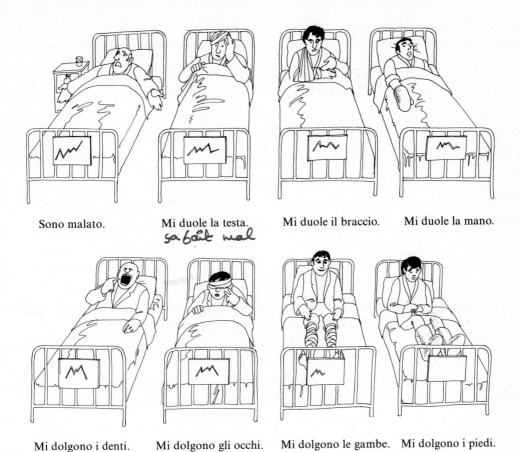

Sono malato.

sabait mal

Mi duole la testa.

Mi duole il braccio.

Mi duole la mano.

Mi dolgono i denti.

Mi dolgono gli occhi.

Mi dolgono le gambe.

Mi dolgono i piedi.

Il giovanotto ha i capelli biondi.

Il bambino ha i capelli ricciuti. *6 risé*

lisci : lisse

Il cameriere	1	Prego, Signori. Se si vogliono accomodare! Preferiscono stare dentro o in terrazza?
Franco	2	Sono il signor Martini. Ho prenotato un tavolo in terrazza.
Il cameriere		Scusi, Signore, non l'avevo riconosciuto. Il tavolo è pronto.
Franco	3	Quale ci ha riservato?
Il cameriere		Questo. Le va bene?
Franco	4	Benissimo. Ci porti il menù per favore.
Franco	5	Il cameriere non voleva ch'io mi mettessi in terrazza. Credeva ch'io fossi solo.
Franco	6	Ma quando gli ho detto ch'eravamo in quattro è diventato più sorridente.
Il cameriere	7	Ecco la lista del giorno.
Marcello		Che cosa mi consiglia per primo?
Il cameriere	8	Le consiglio la zuppa di pesce oppure gli spaghetti ai frutti di mare. Zuppa di pesce per tutti?
Claudia	9	No, fa troppo caldo per la zuppa di pesce. Io prenderò prosciutto e melone.
Il cameriere	10	Come secondo cosa desiderano? Fritto misto? Pesce alla griglia? Carne?
Paola	11	Niente carne. Al mare mi pare che si debba prendere il pesce, no?
Franco		Sì. Fritto misto per tutti.
Il cameriere	12	E come contorno insalata verde va bene?
Tutti		Sì. D'accordo.
Marcello	13	Con il pesce ci vuole il Frascati bianco. È il vino che preferisco.
Paola		Ci dia anche una mezza minerale.
Il cameriere		Benissimo.
Claudia	14	Com'è bello stare qui all'ombra di fronte al mare azzurro!
Franco	15	Peccato ch'io debba partire dopodomani!
Marcello		Non ci pensare. Oggi conta soltanto la gioia di stare insieme!

1	Scusi	Signore / Signora	non l'avevo	riconosciuto / riconosciuta

2	Il tavolo è pronto	Quale ci ha riservato?	questo qui / quello lì

3	Cosa	desidera / desiderano	?	Mi / Ci	dia / porti	la lista / una mezza minerale

4	Cosa	mi	consiglia	?	Le	consiglio	il fritto misto / la zuppa di pesce / il Frascati bianço

5A	il cameriere Franco	vuole desidera	ch'io	mangi / aspetti / mi riposi / mi metta / vada / venga	all'ombra / in terrazza / in giardino / dentro / a questo tavolo

5B	il cameriere Franco	voleva desiderava	ch'io	mangiassi / aspettassi / mi riposassi / mi mettessi / andassi / venissi	all'ombra / in terrazza / in giardino / dentro / a questo tavolo

6	crede pensa	ch'io	sia / parli	solo milanese stanco / italiano francese	credeva pensava	ch'io	fossi / parlassi	solo milanese stanco / italiano francese

Ecco È	il	vino pesce ristorante	che	piace a tutti preferisco consiglio	7

Ci vuole	il Frascati bianco tempo pazienza	per mangiar bene	
Ci vogliono	gli spaghetti		8

Peccato che	io tu debba egli dobbiamo dobbiate debbano	partire andar via lasciare il mare tornare a Milano	fra due giorni fra un mese domani dopodomani subito	9

COME PRIMO ZUPPA DI PESCE COME SECONDO FRITTO MISTO	primo secondo terzo quarto quinto sesto settimo ottavo	nono decimo undicesimo dodicesimo tredicesimo quattordicesimo quindicesimo sedicesimo	diciassettesimo diciottesimo diciannovesimo ventesimo ventunesimo ventiduesimo ventitreesimo ventiquattresimo	ventottesimo trentesimo trentunesimo trentaduesimo quarantesimo centesimo ultimo	10

ESERCIZI

1 / 1 / Ora La vedo, Signore... / Risposta: Prima non La vedevo

ora la riconosco, Signore   ora la capisco, Signore
ora la credo, Signore   ora la vedo, Signore

2 / 1 / Stesso esercizio con Signora (Es.: Ora La vedo, Signora... / Risposta: Prima non La vedevo)

3 / 2 / Voglio una cravatta... / Risposta: Quale vuoi? questa qui o quella lì?

voglio una cabina   voglio una poltrona
voglio una sedia   voglio una cravatta

4 / 2 / Voglio un pesce... / Risposta: Quale vuoi? Questo qui o quello lì?

voglio un bicchiere   voglio un letto
voglio un gelato   voglio un pesce

5 / 2 / Vogliamo delle scarpe... / Risposta: Quali volete? queste qui o quelle lì?

vogliamo delle sigarette   vogliamo delle pesche
vogliamo delle pere   vogliamo delle scarpe

6 / 2 / Vogliamo degli spaghetti... / Risposta: Quali volete? questi qui o quelli lì?

vogliamo dei libri   vogliamo degli occhiali
vogliamo dei giornali   vogliamo dei fazzoletti
vogliamo dei dischi   vogliamo degli spaghetti

● **7 / 3 / Che cosa vuole, Signore?... / Risposta: Che cosa vogliono, Signori?**

che cosa desidera, Signore?   che cosa beve, Signore?
che cosa consiglia, Signore?   che cosa fa, Signore?
che cosa dice, Signore?   che cosa guarda, Signore?
che cosa aspetta, Signore?   che cosa mangia, Signore?
che cosa teme, Signore?   che cosa prende, Signore?
che cosa preferisce, Signore?   che cosa sta dicendo, Signore?
che cosa sta facendo, Signore?   che cosa vuole, Signore?

● **8 / 3 / Dammi un Frascati, per favore... / Risposta: Mi dia un Frascati, per favore**

dammi un bicchiere, per favore   dammi il giornale, per favore
dammi una birra, per favore   dammi una mezza minerale, per favore
dammi il menù, per favore   dammi un Frascati, per favore

● **9 / 3 / Dacci un Frascati, per favore... / Risposta: Ci dia un Frascati, per favore** (Cf. esercizio 8)

10 / 3 / Portami la sdraia, per favore... / Risposta: Mi porti la sdraia per favore

portami l'ombrellone, per favore   portami il vino, per favore
portami il caffè, per favore   portami il contorno, per favore
portami il menù, per favore   portami la sdraia, per favore

11 / 3 / **Prendi il prosciutto...** / Risposta : **Non lo voglio, lo prenda Lei**

prendi il salame
prendi l'antipasto
prendi il pesce
prendi il formaggio

prendi la bistecca
prendi la carne
prendi una mela
prendi il prosciutto

12 / 3 / **Per favore, Paola, apri la porta...** / Risposta : **No, Signore, apra Lei**

per favore, apri la macchina
per favore, apri la bottiglia

per favore, apri la finestra
per favore, apri la porta

13 / 3 / **Posso entrare?...** / Risposta : **Certo, entri pure**

posso mangiare?
posso aspettare?
posso cantare?
posso fumare?
posso guardare?
posso chiudere?

posso scommettere?
posso partire?
posso aprire?
posso andare?
posso venire?
posso entrare?

14 / 4 / **Cosa mi consiglia? il dolce?...** / Risposta : **Senz'altro, Le consiglio il dolce**

cosa mi consiglia? il prosciutto?
cosa mi consiglia? gli spaghetti
cosa mi consiglia? l'antipasto misto?
cosa mi consiglia? l'insalata di pomodori?

cosa mi consiglia? la minestra in brodo?
cosa mi consiglia? i fagiolini?
cosa mi consiglia? l'arrosto di vitella?
cosa mi consiglia? il dolce?

15 / 4 / **Ora che cosa mi porterà?... il contorno...** / Risposta : **Ora Le porterò il contorno**

ora che cosa mi porterà? i fagiolini
ora che cosa mi porterà? l'arrosto

ora che cosa mi porterà? la cotoletta
ora che cosa mi porterà? il contorno

16 / 1 / **Marcello, ti vedo...** / Risposta : **Anch'io La vedo, professore**

Marcello, ti guardo
Marcello, ti ascolto

Marcello, ti conosco bene
Marcello, ti vedo

● **17** / 1 e 4 / **Prego, signore, quando mi telefonerà? domani?...** / Risposta : **Certo Le telefonerò domani.** /
Prego signore, quando mi porterà a Roma? mercoledì? / Risposta : **Certo, La porterò a Roma mercoledì**

prego, signore, dove mi aspetterà? al ristorante?
prego, signore, dove mi ritroverà? in trattoria?
prego, signore, che cosa mi offrirà? il caffè?
prego, signore, quando mi telefonerà? domani?
prego, signore, quando mi porterà a Roma? mercoledì?

● **18** / 5AB e 6 / **Credono che tu sia cameriere...** / Risposta : **Credevano che tu fossi cameriere**

credono che Franco sia il signor Martini
credono ch'io abbia un'Alfa
credono che i ragazzi abbiano preso il pesce
credono che io voglia stare all'ombra

credono che tu vada spesso al mare
credono che i miei amici vadano spesso al mare
credono che vogliate partire a mezzanotte
pensa ch'io possa pagare il conto

vuole che tu venga ogni domenica
vuole che veniamo con te
desiderano che paghiate il conto
desidera che tu apra la bottiglia
pensano che possiate scegliere meglio

pensano che tua sorella beva troppo vino
crede che gli sportivi bevano molta acqua
credono che dormiamo sulla spiaggia
vogliono che Marcello ordini il vino
credono che tu sia cameriere

● **19** / 5AB e 6 / **Franco vuole ch'io mangi con lui...** / Risposta : **Franco voleva ch'io mangiassi con lui**

Franco desidera ch'io venga con lui
Franco pensa che tu sia pronto
Franco vuole che siate sorridenti
Franco crede che tu non voglia venire
Franco non sa che cosa io voglia mangiare
Franco crede che abbiamo fame
Franco non vuole ch'io fumi
Franco pensa ch'io sia solo
Franco vuole che gli amici prendano il caffè
Franco crede che preferiate star dentro

Franco non sa che cosa vogliate ordinare
Franco vuole che paghiamo il conto
Franco non crede che tu possa mangiare tutto
Franco non vuole che beviamo tutto il vino
Franco teme che non ci sia vino per tutti
Franco spera che ci sia la zuppa di pesce
Pare ch'egli abbia ragione
Sembra che ci sia poco da mangiare
Bisogna ch'io guardi il menù
Franco vuole ch'io mangi con lui

● **20** / 7 / **Mi piace questo vino...** / Risposta : **È il vino che preferisco**

mi piace questo ristorante
mi piace questo contorno
mi piace questo pesce

mi piace questo dolce
mi piace questo gelato
mi piace questo vino

● **21** / 7 / **Il signore ha bevuto due caffè. Ora paga...** / Risposta : **Il signore che sta pagando ha bevuto due caffè**

la signorina ha ordinato due uova. Ora mangia
i signori hanno preso gli spaghetti. Ora mangiano
le signorine hanno bevuto due fiaschi di vino. Ora pagano
il signore ha bevuto due caffè. Ora paga

22 / 7 / **Chi ha prenotato il tavolo? Lei?...** / Risposta : **Ecco il tavolo che ha prenotato**

chi ha scelto il vino? Lei?
chi ha ordinato il caffè? Lei?
chi ha ordinato l'aranciata? Lei?

Chi ha dimenticato questo portafoglio? Lei?
Chi ha pagato il Frascati? Lei?
Chi ha prenotato il tavolo? Lei?

23 / 8 / **Peccato ch'io non abbia denaro...** / Risposta : **Ci vuole denaro per mangiare bene**

peccato ch'io non abbia pane
peccato ch'io non abbia vino

peccato ch'io non abbia tempo
peccato ch'io non abbia denaro

24 / 8 / **Niente spaghetti stasera?...** / Risposta : **Ci vogliono gli spaghetti per mangiare bene**

niente amici stasera?
niente frutti di mare stasera?
niente patatine stasera?

niente fagiolini stasera?
niente pomodori stasera?
niente spaghetti stasera?

25 / 8 / **Senza il Frascati non sono contento...** / Risposta : **Ci vuole il Frascati perché io sia contento** / **Senza gli amici non sono contento...** /Risposta : **Ci vogliono gli amici perché io sia contento**

senza gli spaghetti non sono contento   senza canzoni non sono contento
senza le ragazze non sono contento   senza musica non sono contento
senza caffè non sono contento   senza il Frascati non sono contento
senza vino non sono contento   senza gli amici non sono contento

26 / 9 / **peccato...** / Risposta : **Peccato ch'io debba partire domani**

credono	temono	crede
pare	non credono	sembra
pensano	non sanno	peccato

27 / 9 / **peccato...** / Risposta : **Peccato che tu debba partire domani** (Cf. esercizio 26)

28 / 9 / **peccato...** / Risposta : **Peccato che Franco debba partire domani** (Cf. esercizio 26)

29 / 9 / **Peccato ch'io debba lasciare gli amici...** / Risposta : **Peccato che dobbiamo lasciare gli amici**

peccato ch'io debba bere solo acqua   peccato ch'io debba tornare a casa
peccato ch'io debba mangiare poco   peccato ch'io debba partire dopodomani
peccato ch'io debba pagare il conto   peccato ch'io debba lasciare gli amici

30 / 9 / **Fra due giorni partirò...** / Risposta : **Peccato ch'io debba partire fra due giorni**

fra due giorni Franco partirà   fra due giorni partirai
fra due giorni partiranno   fra due giorni partiremo
fra due giorni partirete   fra due giorni partirò

31 / 10 / **gennaio...** / Risposta : **Gennaio è il primo mese dell'anno**

marzo	novembre	ottobre	maggio
agosto	febbraio	settembre	aprile
luglio	giugno	dicembre	gennaio

32 / 10 / **martedì...** / Risposta : **Martedì è il secondo giorno della settimana**

giovedì	mercoledì	sabato	domenica
lunedì	venerdì	lunedì	martedì

33 / 10 / **la primavera...** / Risposta : **La primavera è la prima stagione dell'anno**

l'autunno	l'estate	l'inverno	la primavera

GIOCO

L'interrogatorio

PARLIAMO INSIEME

Che cosa domanda il cameriere ai clienti?
Come si chiama Franco?
Quale tavolo ha prenotato?
È pronto il tavolo?
Perché si scusa il cameriere?
Che cosa domanda Franco?
Perché il cameriere non voleva che Franco si mettesse in terrazza?
Perché il cameriere è diventato poi più sorridente?
Che cosa porta il cameriere?
Che cosa consiglia per primo?
Perché Claudia non vuole la zuppa di pesce?

Che cosa prende?
Che cosa c'è come secondo?
Perché Paola non vuole carne?
Ha ragione?
Che cosa prendono tutti?
Quale contorno prendono?
Che vino ci vuole con il pesce?
Quale vino preferisce Marcello?
Beve solo vino Paola?
È contenta Claudia? Perché?
Quando deve partire Franco?
È contento Franco?
Perché sono tutti contenti?

Al ristorante preferite mangiare in terrazza o dentro?
Come si chiama il vostro professore?
la vostra professoressa?
Se foste andati al ristorante con i nostri amici, che cosa avreste preso?
Avete già mangiato spaghetti ai frutti di mare?
Preferite la carne o il pesce?
Vi piace il prosciutto?
Ne mangiate spesso?

Vi piace il prosciutto con il melone?
Quale contorno preferite?
Quale contorno mangiate con la bistecca? con la cotoletta?
Preferite la carne fredda o la carne calda?
Preferite il vino bianco o il vino rosso?
Conoscete un vino italiano?
Bevete acqua naturale o acqua minerale?
Vi piace il mare? Quando andate al mare, vi mettete all'ombra o al sole?

IMMAGINATE IL DIALOGO

Cameriere, un altro fiasco di
Chianti per favore.

Niente minestra in brodo per me.

Prendo l'antipasto misto.

Ecco la bistecca ai ferri
per Lei, Signore.

L'arrosto di vitella
per Lei, Signora.

La cotoletta alla milanese
per Suo figlio, Signora.

Per contorno, patatine? pomodori? fagiolini?

Un tovagliolo per il bambino per favore!

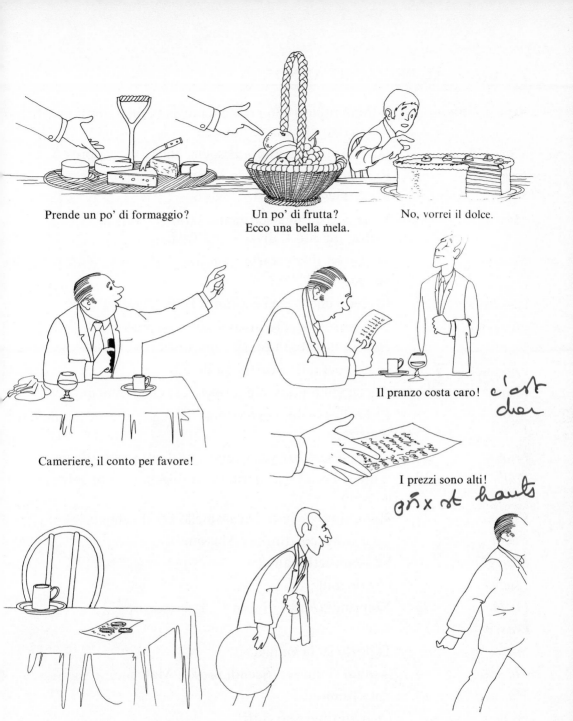

Prende un po' di formaggio?

Un po' di frutta?
Ecco una bella mela.

No, vorrei il dolce.

Cameriere, il conto per favore!

Il pranzo costa caro!

I prezzi sono alti!

Il signore lascia la mancia.

Grazie, Signore, arrivederLa.

Altoparlante	1	Il treno rapido 036 proveniente da Napoli diretto a Milano è in arrivo al binario numero 3.
Marcello		Il treno sta arrivando. Bisogna che tu faccia presto.
Franco	2	Purtroppo sono finite le vacanze romane! Mi dispiace lasciarvi, sapete!
Marcello	3	Va là che fra una settimana sarai in Francia. Vedrai quanto ti divertirai a Parigi.
Franco	4	Se dicessi il contrario mentirei. Parigi è la città più bella del mondo.
Claudia	5	Io credo che Roma sia tanto bella quanto Parigi.
Marcello	6	Non sapevo che tu amassi tanto Roma! Non so quanto darei per una vacanza a Parigi.
Claudia	7	Ci manderai una cartolina da Parigi?
Franco		Anche voi mi dovrete scrivere ciò che farete qui.
Paola	8	Eh! bello! se vuoi una risposta bisogna che sappiamo il tuo indirizzo.
Franco	9	Appena sarò arrivato vi invierò il nome dell'albergo.
Paola	10	È quasi l'ora della partenza. È meglio che tu salga subito in treno.
Claudia	11	Tieni, ti ho portato le caramelle per il viaggio.
Paola		Ed io i cioccolatini per Massimo.
Marcello		Ed io un settimanale.
Franco		Grazie mille!
Paola	12	Non ringraziarci. Il treno sta per partire.
Franco	13	Salgo subito.
Marcello		Ti porto su la valigia.
Claudia	14	Il treno si muove. Scendi presto, Marcello.
Marcello	15	Ciao Franco!
Franco		Ciao, vi ringrazio tutti!
Paola		Auguri per il soggiorno a Parigi!
Claudia		Ciao. Al prossimo anno!

1	Bisogna la mamma vuole	che	io tu egli	faccia	presto un viaggio a Parigi un soggiorno a Roma la valigia
			facciamo facciate facciano		

2	Bisogna è meglio Paola pensa crede	che	io tu egli	sappia	l'indirizzo l'ora della partenza il numero del treno l'ora dell'arrivo
			sappiamo sappiate sappiano		

3	Parigi	è pare	tanto così	fredda grande vecchia cara divertente grigia	quanto come	Milano

4	è ecco	la	città ragazza macchina	più	bella	del mondo d'Italia di Francia

5	fra	una settimana un mese tre giorni	dovrò dovremo	scrivere	a	Parigi Roma
				partire	per	l'Italia la Francia

6	Appena	arrivato arrivata	darò darà	le caramelle i cioccolatini	a	Massimo tutti
	Se	potessi potesse	darei darebbe			

Parigi è la più bella città del mondo Roma è tanto bella quanto Parigi	se	dicessi dicessi dicesse dicessimo diceste dicessero	il contrario	mentirei mentiresti mentirebbe mentiremmo mentireste mentirebbero	7

non	sapevo credevo pensavo	che	tu	amassi tanto Roma fossi in viaggio avessi tante valige prendessi il treno partissi oggi facessi questo viaggio	8

il treno l'autobus	sta per partire	salgo Franco sale i turisti salgono	subito	Ciao! Al prossimo anno!	9

È l'ora della partenza	è meglio bisogna Claudia vuole Franco desidera	che	io tu egli salga saliamo saliate salgano	sul treno sull'autobus	10

tieni ti tenete vi	ho portato	delle caramelle dei cioccolatini il giornale un settimanale	Grazie!	11

189

ESERCIZI

1 / 1 / **Mio padre vuole...** / Risposta : **Mio padre vuole ch'io faccia questo viaggio**

mio padre spera

mio padre teme

mio padre non vuole

mio padre crede

mio padre non desidera

mio padre pensa

mio padre desidera

mio padre non crede

mio padre non sa

mio padre vuole

2 / 1 / **Mio padre vuole...** / Risposta : **Mio padre vuole che tu faccia questo viaggio** (Cf. esercizio 1)

3 / 1 / **Claudia farà il viaggio sola...** / Risposta : **Mi dispiace che Claudia faccia il viaggio sola**

Claudia farà il viaggio con il treno

Claudia farà il viaggio senza gli amici

Claudia farà il viaggio di notte

Claudia farà il viaggio sola

4 / 1 / **Il professore vuole ch'io faccia un viaggio in Italia...** / Risposta : **Il professore vuole che facciamo un viaggio in Italia**

il professore vuole ch'io faccia una gita a Fregene

il professore vuole ch'io faccia un soggiorno all'estero

il professore vuole ch'io faccia il viaggio con il treno

il professore vuole ch'io faccia un viaggio in Italia

5 / 1 / **Il professore vuole che tu faccia un viaggio in Italia...** / Risposta : **Il professore vuole che facciate un viaggio in Italia** (Cf. esercizio 4)

6 / 1 / **Il professore vuole che questo studente faccia un viaggio in Italia...** / Risposta : **Il professore vuole che questi studenti facciano un viaggio in Italia** (Cf. esercizio 4)

● **7** / 1 / **Non faccio mai il viaggio solo...** / Risposta : **Questa volta è meglio ch'io faccia il viaggio solo**

non facciamo mai il viaggio soli

non fai mai il viaggio solo

non fa mai il viaggio solo

non fanno mai il viaggio soli

non fate mai il viaggio soli

non faccio mai il viaggio solo

8 / 2 / **Non conosco l'indirizzo dell'albergo...** / Risposta : **Bisogna pure ch'io sappia l'indirizzo dell'albergo**

non conosco il numero del treno

non conosco l'ora dell'arrivo

non conosco il prezzo del viaggio

non conosco l'indirizzo dell'albergo

9 / 2 / **Non conosci l'indirizzo dell'albergo...** / Risposta : **Bisogna pure che tu sappia l'indirizzo dell'albergo** (Cf. esercizio 8)

10 / 2 / **Franco non conosce l'indirizzo dell'albergo...** / Risposta : **Bisogna pure ch'egli sappia l'indirizzo dell'albergo** (Cf. esercizio 8)

11 / 2 / **Non conosciamo l'indirizzo di Marcello**... / Risposta : **Bisogna pure che sappiamo l'indirizzo di Marcello**

non conosciamo l'indirizzo di Marcello
non conosciamo il nome dell'albergo
non conosciamo l'ora della partenza

non conosciamo il prezzo del viaggio
non conosciamo il numero dell'autobus
non conosciamo l'indirizzo di Marcello

12 / 2 / **Non conoscete l'indirizzo di Marcello**... / Risposta : **Bisogna pure che sappiate l'indirizzo di Marcello** (Cf. esercizio 11)

13 / 2 / **I tuoi amici non conoscono l'indirizzo di Marcello**... / Risposta : **Bisogna pure che sappiano l'indirizzo di Marcello** (Cf. esercizio 11)

14 / 2 / **So parlare francese**... / Risposta : **La gente crede ch'io non sappia parlare francese**

sapete parlare francese
sai parlare francese
sappiamo parlare francese

i miei genitori sanno parlare francese
Paola sa parlare francese
so parlare francese

15 / 3 / **Roma è bella, ma anche Parigi è bella**... / Risposta : **Roma è tanto bella quanto Parigi**

il treno 036 è rapido ma anche il treno 120 è rapido
la Francia è bella ma anche l'Italia è bella
l'albergo di Marcello è caro ma anche quello di Claudia è caro
i cioccolatini sono buoni ma anche le caramelle sono buone
la valigia di Marcello è pesante ma anche quella di Paola è pesante
questo settimanale è divertente ma anche questo giornale è divertente
Roma è bella ma anche Parigi è bella

16 / 4 / **In Italia ci sono delle belle città. Ma se tu vedessi Roma!**... / Risposta : **È la città più bella d'Italia**

In Italia ci sono delle belle macchine. Ma se tu vedessi l'Alfa!
In Italia ci sono delle macchine rapide. Ma se tu vedessi la Ferrari!
In Italia ci sono delle belle spiagge. Ma se tu vedessi Fregene!
A Roma ci sono delle belle ragazze. Ma se tu vedessi Paola!
In Italia ci sono delle belle autostrade. Ma se tu vedessi l'Autostrada del Sole!
A Roma i caffè sono cari. Ma se tu vedessi quello di Piazza Colonna!
A Roma gli alberghi sono cari. Ma se tu vedessi quello di Via del Corso!
In Italia la gente è allegra. Ma se tu vedessi quella di Napoli!
In Italia il mare è azzurro. Ma se tu vedessi quello della Sicilia!
A Roma ci sono delle belle piazze. Ma se tu vedessi Piazza Navona!
In Italia ci sono delle belle città. Ma se tu vedessi Roma!

17 / 5 / **Oggi devo prendere il treno... E domani?**... / Risposta : **Anche domani dovrò prendere il treno**

e fra tre giorni?
e la settimana prossima?
e lunedì prossimo?
e fra una settimana?

e il mese prossimo?
e dopodomani?
e fra una settimana?
e domani?

18 / 5 / **Oggi devi prendere il treno... E domani?...** / Risposta: **Anche domani dovrai prendere il treno** (Cf. esercizio 17)

19 / 5 / **Oggi mio padre deve prendere il treno... E domani?...** / Risposta: **Anche domani mio padre dovrà prendere il treno** (Cf. esercizio 17)

20 / 5 / **Domani telefoneremo a Paola...** / Risposta: **Domani dovremo telefonare a Paola**

domani ringrazieremo Paola   domani manderemo una cartolina a Paola
domani scriveremo a Paola   domani telefoneremo a Paola

21 / 5 / **Domani telefonerete a Paola...** / Risposta: **Domani dovrete telefonare a Paola** (Cf. esercizio 20)

22 / 5 / **Domani telefoneranno a Paola...** / Risposta: **Domani dovranno telefonare a Paola** (Cf. esercizio 20)

● **23** / 5 / **Il treno sta per partire... io...** / Risposta: **Fra poco dovrò salire**

voi   noi   gli sportivi   voi
i viaggiatori   tu   tu   noi
Marcello   io   Paola   io

24 / 6 / **Ecco i cioccolatini per Massimo...** / Risposta: **Appena arrivato gli darò i cioccolatini**

ecco un settimanale per Massimo   ecco i fiori per Massimo
ecco il giornale per Massimo   ecco l'automobilina per Massimo
ecco le caramelle per Massimo   ecco i cioccolatini per Massimo

● **25** / 6 / **Arriverò fra un'ora...** / Risposta: **Appena arrivato, darò i fiori alla mamma**

arriveremo fra un'ora   arriveranno fra un'ora
arriverai fra un'ora   arriverete fra un'ora
arriverà fra un'ora   arriverò fra un'ora

26 / 6 / **Dei cioccolatini...** / Risposta: **Se Paola partisse in viaggio, le darei dei cioccolatini**

dei giornali   un settimanale   una valigia   dei cioccolatini

27 / 6 / **Dei cioccolatini...** / Risposta: **Se Paola partisse in viaggio, le daremmo dei cioccolatini** (Cf. esercizio 26)

● **28** / 6 / **Mi piacciono i cioccolatini...** / Risposta: **Chi sa quanto darei per dei cioccolatini** / **Ti piace viaggiare...** / Risposta: **Chi sa quanto daresti per viaggiare**

ti piacciono i gelati italiani   vi piacciono le vacanze all'estero
ti piace il caffè italiano   vi piace andare al cinema
ci piace viaggiare   mi piace prendere l'aereo
ci piacciono le caramelle   gli piace divertirsi
a questi signori piace il vino   le piace ballare
mi piacciono i cioccolatini   ti piace viaggiare

29 / 7 / **Dico che Roma è bella...** / Risposta: **Se dicessi il contrario mentirei**

dico che Milano è bella   dico che la Francia è bella
dico che l'Italia è bella   dico che Parigi è bella
dico che Paola è bella   dico che Roma è bella

30 / 7 / **Dici che Roma è bella...** / Risposta : **Se tu dicessi il contrario, mentiresti** (Cf. esercizio 29)

31 / 7 / **Franco dice che Roma è bella...** / Risposta : **Se dicesse il contrario, mentirebbe** (Cf. esercizio 29)

32 / 7 / **Tutti dicono che Roma è bella...** / Risposta : **Se dicessero il contrario, mentirebbero** (Cf. esercizio 29)

33 / 7 / **È meglio ch'io dica la verità...** / Risposta : **Era meglio ch'io dicessi la verità**

è meglio che diciamo la verità
è meglio che tu dica la verità
è meglio che tutti dicano la verità

è meglio che la gente dica la verità
è meglio che diciate la verità
è meglio ch'io dica la verità.

34 / 8 / **Voglio che tu dica il tuo nome...** / Risposta : **Volevo che tu dicessi il tuo nome**

voglio che tu venga presto
non credo che sia vero
non so dove sia Marcello
è meglio che tu faccia la valigia
non so quando arrivi Franco
sembra che Paola debba tornare presto

non so dove tu vada
non crediamo che sia tanto caro
non credo che abbiate tempo
non credo che Franco sappia parlare francese
non penso che Paola debba partire subito
voglio che tu dica il tuo nome

35 / 9 / **L'autobus parte fra poco...** / Risposta : **Attento! l'autobus sta per partire**

il treno parte fra poco
la nave parte fra poco
l'aereo parte fra poco
il pullman parte fra poco

Marcello parte fra poco
il tassì parte fra poco
i turisti partono fra poco
l'autobus parte fra poco

36 / 9 / **Il treno sta partendo...** / Risposta : **Salgo sul treno**

l'autobus sta partendo
l'aereo sta partendo

il pullman sta partendo
il treno sta partendo

37 / 9 / **Il treno sta partendo...** / Risposta : **I viaggiatori salgono sul treno** (Cf. esercizio 36)

38 / 9 / **È l'ora della partenza... io...** / Risposta : **Salgo subito**

noi	io	voi	Franco
voi	Marcello	tu	noi
tu	i signori	i viaggiatori	io

39 / 10 / **Perché non sali sul treno?...** / Risposta : **È meglio che tu salga subito**

perché non sali sull'autobus?
perché non sali sulla nave?

perché non sali sull'aereo?
perché non sali sul treno?

40 / 10 / **Perché Lei non sale sul treno?...** / Risposta : **È meglio che Lei salga sul treno** (Cf. esercizio 39)

41 / 10 / **Perché non salite sul treno?...** / Risposta : **È meglio che saliate sul treno** (Cf. esercizio 39)

42 / 10 / **Perché Loro non salgono sul treno?...** / Risposta : **È meglio che salgano sul treno** (Cf. esercizio 39)

43 / 10 / **Io...** / Risposta : **Franco vuole ch'io salga sul treno**

noi	voi	gli amici	tua madre
tu	io	l'amica	i miei fratelli
loro	noi	tu	io

GIOCO

Peccato!

PARLIAMO INSIEME

Quale treno prende Franco?
Di dove viene questo treno?
Dove va questo treno?
Su quale binario arriva?
Perché bisogna che Franco faccia presto?
Perché è triste Franco?
Fra quanto tempo sarà in Francia?
Dove andrà in Francia?
Che cosa farà a Parigi?
Piace Parigi a Franco?
Come si vede?
Anche per Claudia Parigi è la città più
bella del mondo?
Qual è la più bella città del mondo per Claudia?

Vi piace viaggiare?
Vi piace prendere il treno?
Quando prendete il treno?
Quante volte all'anno prendete il treno?
Viaggiate soli o con i genitori?
Fra quanti giorni sarete in vacanza?
Quanto durano le vacanze?
Vi piace andare all'estero?
Siete già andati all'estero? Dove?
Siete partiti con la nave? con l'aereo?
con il treno? con la macchina? con il
pullman?
Vi piace viaggiare con l'aereo? con la nave?
con la macchina? Perché?
Conoscete Parigi?

Sarebbe contento di andare a Parigi Marcello?
Come si vede?
Che cosa manderà da Parigi Franco?
Che cosa vuole Franco?
Quando invierà il suo indirizzo?
Dove andrà ad abitare a Parigi?
Perché Franco deve salire sul treno?
Che cosa gli hanno portato gli amici per il
viaggio?
Per chi sono i cioccolatini?
Chi porta la valigia?
Perché Marcello deve scendere presto?
Che cosa augurano i giovani a Franco?
Quando si ritroveranno gli amici?

È vero che è la città più bella del mondo?
Che cosa possiamo comprare sul treno?
Leggete durante il viaggio?
Vi piacciono le caramelle?
Avete molte valige quando viaggiate?
Vi piace ricevere cartoline?
Qual è il vostro indirizzo?
Fate la collezione delle cartoline?
Avete già dormito all'albergo?
Quando? Dove? Vi è piaciuto?
Dove andrete durante le vacanze?
Con chi partirete?
Andrete in Italia? Perché?
Vi piacerebbe andare in Italia?
In quale città? Perché?

IMMAGINATE IL DIALOGO

ALT! DOGANA

Dove si andrà per le vacanze?

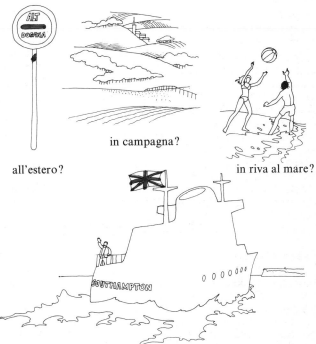

all'estero?

in campagna?

in riva al mare?

Il Signor Pietri
va in Germania. Parte con il treno.

Il Signor Bianchi va in Inghilterra. Parte con la nave.

La Signora Neri
parte per la Spagna. Prende la macchina.

La Signorina Maria va negli Stati Uniti. Prende l'aereo.

BUON VIAGGIO! ARRIVEDERCI! AL PROSSIMO ANNO!

TABLEAUX SYNTAGMATIQUES

Scène 1

1 / **Ecco, buon giorno, ciao** / 2A / Présent de l'indicatif de **essere**, être (trois premières personnes). Adjectifs masculins se terminant par **O** ou **E** / 2B / Adjectifs féminins se terminant par **A** ou **E**. Formation du féminin / 3A / Forme interrogative. Réponse affirmative / 3B / Forme interrogative. Réponse négative / 4AB / Emploi de **anche** / 5AB / Présent de l'indicatif des verbes réfléchis (**chiamarsi**, s'appeler, trois premières personnes).

Scène 2

1A / Présent de l'indicatif de l'auxiliaire **essere**, être. Formation du masculin pluriel des noms et adjectifs se terminant par **O** ou **E** / 1B / Formation du féminin pluriel des noms et adjectifs se terminant par **A** ou **E** / 2A / Article indéfini masculin. Emploi de **c'è** (il y a) / 2B / Article indéfini féminin / 3AB / Emploi de **c'è. ci sono** (il y a) / 4A / Présent de l'indicatif des verbes en **-are** (**incontrare**, rencontrer) / 4AB / Présent de l'indicatif des verbes réfléchis (**chiamarsi**, s'appeler). Emploi de **come** interrogatif / 5A / Présent de l'indicatif des verbes en **-ere** (**prendere**, prendre) / 5B / Présent de l'indicatif des verbes réfléchis (**mettersi**, se mettre). Pronom relatif **dove** (où).

Scène 3

1A / Article défini masculin singulier et pluriel / 1B / Article défini féminin singulier et pluriel / 2 / Présent de l'indicatif des verbes en **-ire** (**offrire**, offrir) / 3 / Présent de l'indicatif des verbes en **-ire** (**preferire**, préférer, **preferisco**) / 4A / Préposition articulée (**a** + l'article défini masculin singulier et pluriel) / 4B / Préposition articulée (**a** + l'article défini féminin) / 5A / Préposition articulée (**di** + l'article défini masculin singulier et pluriel) / 5B / Préposition articulée (**di** + l'article défini féminin singulier et pluriel). Féminin en **-essa** (studente, studentessa).

Scène 4

1A / Adjectif possessif masculin singulier et pluriel (trois premières personnes). Pluriel irrégulier des noms (**amico, amici**) / 1B / Adjectif possessif féminin singulier et pluriel (trois premières personnes). Pluriel des noms féminins en **-ca** (**amica, amiche**) / 2 / **Mi (ti, ci, vi) piace piacciono**. Traduction de **aimer** Emploi de **piacere** / 3A / Impératif des verbes en **-are** (seconde personne du singulier et du pluriel de **entrare, portare**) / 3B / Impératif des verbes réfléchis seconde personne du singulier et du pluriel, (**accomodarsi, riposarsi**) / 4 / Présent de l'indicatif de l'auxiliaire **avere** (avoir). Pronoms personnels sujets / 5 / Adjectif **bello**. Singulier masculin et féminin. Exclamatif **che** devant un adjectif / 6 / Exclamatif **come** devant un verbe / 7 / Préposition articulée **in** + **il** et **in** + **la**

Scène 5

1A / Adjectif possessif singulier masculin et féminin / 1B / Adjectif possessif pluriel masculin et féminin. Pluriel des noms masculins en **-co** (**disco, dischi, amico, amici**) / 2 / Impératif (2e personne du singulier et du pluriel) de **dire** dire (**di, dite**). Emploi de l'interjection **bravo** / 3 / Impératif (2e personne du singulier et du pluriel) des verbes en **-ere** (**prendere**, prendre) / 4 / Préposition articulée (**su** + **il; su** + **la**) / 5 / Passé composé (passato prossimo) des verbes en **-are** (**portare**, porter) / 6 / Passé composé des verbes en **-are** (**entrare**, entrer) / 7 / Passé composé des verbes en **-ere** (**sedersi**, s'asseoir). Participe passé de l'auxiliaire **avere** (avuto).

Scène 6

1AB / Passé composé des verbes en **-ire** (**preferire**, préférer, **sentire, entendre**) / 2 / Passé composé des verbes en **-ire** (**partire**, partir). Emploi des adjectifs possessifs avec les noms de parenté / 3 / Présent de l'indicatif de **stare** / 4 / Emploi de **stare** (**come stai?**). Emploi des adjectifs possessifs avec les noms de parenté / 5 / Présent de l'indicatif de **andare**, aller / 6 / Interrogatif **quanto** (combien). Emploi de la préposition **da** (depuis). Adjectifs numéraux (de 1 à 12) / 7 / Présent de l'indicatif de **venire** (venir). Emploi de la préposition **a** avec les verbes de mouvement (**vengo a prendere**) / 8 / Impératif (2e personne du singulier et du pluriel) des verbes en **-ire** (**partire**, partir). Emploi de **perché** interrogatif.

Scène 7

1 / **Quanto** interrogatif. Adjectifs numéraux (13 à 20) / 2 / Traduction de **il y a** (temps) / 3 / Présent de l'indicatif de **fare** (faire) / 4 / Présent de l'indicatif de **dare**. Emploi de **da** (**da mangiare, da bere**) / 5A / **Che** exclamatif devant un nom / 5B / **Come** exclamatif (révision) / 6 / Traduction de **on** (**si sente, si sentono**) / 7 / Emploi de **molto** adjectif quantitatif / 8 / Futur des verbes en **-are** (**portare**, porter) / 9 / Futur des verbes en **-ere** (**prendere**, prendre) / 10 / Futur de **fare** (faire).

Scène 8

1 / Présent de l'indicatif de **volere** (vouloir) / 2 / Futur des verbes en **-ire** (**partire**, partir). Emploi de **fra** (dans indiquant le temps dans le futur) / 3 / Passé composé de **essere** / 4 / Impératif (2e personne du singulier, 1e et 2e personnes du pluriel) de **fare** (faire). Emploi de **da** (depuis) / 5 / Présent de l'indicatif de **stare**. Gérondif des verbes en **-are, -ere, -ire,** Gérondif du verbe **fare**. Emploi de **stare** + **gérondif** (être en train de) / 6 / Impératif négatif (deuxième personne du singulier) des verbes en **-are, -ere, -ire, avere, essere.** Impératif des verbes réfléchis (**calmarsi**, se calmer) / 7 / Emploi de **stare** avec le gérondif. Futur de **essere.** Emploi de

fra / 8 / Participe passé de **fare**, *faire*. Participe passé de **volere**, *vouloir* / 9 / L'heure. Futur de **avere** / 10 / Adjectifs numéraux cardinaux (21 à 2 000).

Scène 9

1 / **Quanto** exclamatif / 2A / Pronom personnel féminin complément direct d'objet singulier et pluriel / 2B / Pronom personnel masculin complément direct d'objet singulier et pluriel / 3 / Place des pronoms personnels compléments (impératif, infinitif) **Fare bene a ...** / 4 / Place des pronoms personnels compléments (impératif 2ᵉ personne du singulier et du pluriel). Impératif de **dare**, *donner*. Emploi des pronoms personnels compléments avec **ecco** / 5 / Adjectif démonstratif **questo**, adverbe **qui**. Adjectif démonstratif **quel**, adverbe **laggiù**. Impératif (2ᵉ personne du singulier et du pluriel) de **venire** (*venir*). Impératif (2ᵉ personne du singulier et du pluriel) de **andare** (*aller*) / 6 / Adjectif démonstratif **quel** (formes) / 7 / Présent de l'indicatif de **potere** (*pouvoir*). Préposition articulée (**in** + **il, la, l'; su** + **l'**).

Scène 10

1AB / **Mi piace, mi piacciono, mi è piaciuto, mi sono piaciuti** / 2 / Conditionnel de **potere** (*pouvoir*) / 3 / Futur de **potere**. Concordance du futur / 4 / Traduction de **on**. Adjectif employé adverbialement (**veloce, veloci**) / 5 / Subjonctif présent de **essere**. Emploi de **pare, sembra che ...** Emploi de **da** introduisant un complément d'agent (**esser chiamato da,** *être appelé par* ...) / 6 / Subjonctif présent de **avere**. Emploi du subjonctif présent avec *il semble que, il me semble que...* (**pare che, sembra che, mi pare che, mi sembra che ...**) 7A / **Temere di, pensare di, sperare di**. Emploi de **perché** (parce que). Participe passé irrégulier de **prendere** (**preso**) / 7B / Emploi du subjonctif avec les verbes exprimant la crainte (**temere,** *craindre*), l'opinion (**pensare,** *penser*), le doute (**pare che, sembra che,** *il semble que*). Formation de l'adverbe (**imprudente, imprudentemente**) / 8 / Emploi de **perché**. Forme de politesse (**Lei**) / 9 / **Di chi è?** ... (*à qui est-ce? à qui est* ...) **è mio** (*c'est à moi* ...), **è di mio padre** (*c'est à mon père*). Adjectif possessif avec la forme de politesse.

Scène 11

1 / Emploi de **affatto** (dans des phrases négatives) / 2A / Allô! Qui est à l'appareil? (**Pronto**) / 2B / C'est moi (**sono io**) / 3 / Subjonctif présent des verbes en -are (**pensare**). Emploi de **bisogna che... il faut que** ... Emploi de **qualche** (**qualche regalo**) / 4 / Subjonctif présent de **venire**. Emploi de **perché** avec le subjonctif. Préposition **a** avec les verbes de mouvement / 5 / Conditionnel de **volere** / 6A / Pronoms personnels compléments formes fortes / 6B / Pronom réfléchi forme forte (**sé**) / 7 / Présent de l'indicatif de **dire** /

8 / Impératif (2ᵉ personne du singulier et du pluriel) de **essere** / 9 / Futur de **volere** (*vouloir*). Futur de **sapere** (*savoir*). Concordance du futur. (**Se vorrò saprò,** *si je le veux je saurai.*)

Scène 12

1 / Pronoms personnels compléments directs. Superlatif absolu (**molto, -issimo**) / 2 / Imparfait de l'indicatif de **avere**. Emploi de **tanto** et **poco** adjectifs quantitatifs / 3 / Imparfait de l'indicatif de **essere**. Traduction de *quelques* (**qualche, alcuno**). Noms invariables (mots accentués sur la dernière syllabe, **novità**) / 4 / Pronoms personnels compléments indirects (3ᵉ personne du singulier masculin (**gli**) et féminin (**le**) / 5AB / Suffixes diminutifs (**-ino, -etto**) / 6 / Présent de l'indicatif de **sapere** (*savoir*). Pronoms personnels sujets formes fortes (rév.) / 7A / Participe passé de **scegliere** (*choisir*, **scelto**). Pronoms personnels compléments directs (révision) / 7B / **Loro** (pronom personnel complément indirect) / 8 / Présent de l'indicatif et futur des verbes se terminant en -**gare** (**pagare,** *payer*).

Scène 13

1 / Imparfait de l'indicatif des verbes en -**ere** (**prendere**). Présent de l'indicatif de **bere** (*boire*) / 2 / Imparfait de l'indicatif des verbes en -**ire** (**venire,** *venir*). Emploi de **ogni**. Emploi de la préposition **a** après les verbes de mouvement (révision) / 3 / Imparfait de l'indicatif des verbes en -**are** (**aspettare,** *attendre*). Emploi de **ogni** / 4 / Futur de **venire** (*venir*). Impératif de **dire** (**dimmi, ditemi**) / 5 / Forme de politesse (**Lei, Loro**) formes fortes. Participe passé de **dire,** *dire* (**detto**) / 6AB / Pronom personnel de politesse complément direct d'objet (**La**) / 7 / Pronom personnel de politesse complément indirect d'objet (**Le**) / 8 / Subjonctif présent des verbes en -**ere** (**vedere,** voir). Traduction de *il suffit* (**basta che**). Emploi de **perché** avec le subjonctif (*pour que*). Subjonctif présent de **volere** (*vouloir*) / 9 / Subjonctif présent des verbes en -**ire** (**sentire,** *entendre*).

Scène 14

1 / Subjonctif présent des verbes en -**ire** (**finire, finisca**) / 2 / Emploi du subjonctif présent après les verbes exprimant le doute (**credo che, mi pare che ...**), l'espoir (**spero che**). Traduction de *on* (avec **si** et avec la troisième personne du pluriel) / 3 / Subjonctif présent de **dare,** *donner* / 4 / Présent de l'indicatif de **dovere,** *devoir* / 5 / Formation de l'adverbe / 6 / *Il faut, il faudra, il faudrait* suivis d'un infinitif / 7 / Conditionnel de **essere**. Emploi du subjonctif après **se** (*si c'était* ... **se fosse** ...) / 8 / Conditionnel de **avere**. Emploi de **nessun** / 9 / Emploi de **ci** (y) / 10 / Forme de politesse.

tableaux syntagmatiques

Scène 15

1 / Présent de l'indicatif de **riuscire** *(réussir)* **uscire** *(sortir)* / 2 / Conditionnel des verbes en **-are** (**portare**, *porter*). Subjonctif imparfait de **essere**. Emploi du subjonctif imparfait après **se** / 3 / Subjonctif imparfait des verbes en **-ire** (**aprire**, *ouvrir*). Emploi du subjonctif imparfait après **se** / 4 / Subjonctif présent de **potere**, *pouvoir* / 5 / Subjonctif imparfait des verbes en **-are** (**fumare**, *fumer*). Syntaxe du subjonctif imparfait : concordance des temps / 6 / Comparatif de supériorité et d'infériorité (**più di, meno di**) / 7 / Futur de **vedere** *(voir)*. Superlatif relatif (**il più, il meno**) / 8 / Conditionnel des verbes en **-ire** (**servire**, *servir*) / 9 / Subjonctif imparfait des verbes en **-ere** (**potere**, *pouvoir*). Emploi du subjonctif imparfait après **se** / 10 / Imparfait de l'indicatif de **dire**, *dire* (**dicevo**). Superlatif relatif (**il più, i più**).

Scène 16

1 / Imparfait de l'indicatif de **fare**, *faire* / 2 / Subjonctif présent de **andare**, *aller* / 3 / Conditionnel de **andare**, *aller*. Superlatif relatif. Emploi du subjonctif imparfait après **se** / 4 / Futur de **andare**, *aller*. Pronom interrogatif **quale**. Emploi du pronom démonstratif (**quello, quella**) / 5 / Adjectif interrogatif **quale**. Présent de l'indicatif de **scegliere**, *choisir*. Pronom démonstratif (**quelli, quelle**) / 6 / Conditionnel de **dovere**, *devoir*. Superlatif absolu de **buono** (**ottimo**). Formation du féminin en **-trice** (**nuotatore, nuotatrice**) / 7 / Subjonctif imparfait de **fare**, *faire*. Conditionnel des verbes en **-ere** (**prendere**, *prendre*). Emploi du subjonctif imparfait après **se** / 8 / Impératif (2ᵉ personne du singulier et du pluriel) de **avere**, *avoir* / 9 / Présent du subjonctif de **dire**, *dire* / 10 / Présent du subjonctif de **stare**. Emploi du subjonctif présent après les verbes exprimant l'opinion (**è meglio che**), le désir (**desiderare**, *désirer*) la volonté (**volere**, *vouloir*), l'obligation (**bisogna**, *il faut*).

Scène 17

1 / Impératif de politesse / 2 / Pronom interrogatif **quale**, (rev.). Adverbes **qui** et **lì**. Emploi des pronoms démonstratifs **questo** et **quello** (rev.) / 3 / Impératif de politesse / 4 / Forme de politesse (pronom personnel indirect) / 5A / Emploi du subjonctif après les verbes exprimant la volonté (**volere**) et le désir (**desiderare**) / 5B / Syntaxe du verbe : concordance des temps / 6 / Syntaxe du subjonctif : concordance des temps / 7 / **Che** pronom relatif / 8 / Traduction de **il faut** avec un nom (**ci vuole, ci vogliono**) / 9 / Subjonctif présent de **dovere**, *devoir*. Emploi de **peccato** *(dommage)* / 10 / Adjectifs numéraux ordinaux.

Scène 18

1 / Subjonctif présent de **fare**, *faire* / 2 / Subjonctif présent de **sapere**, *savoir*. Emploi du subjonctif avec les verbes exprimant l'opinion (**pensare, credere**...) / 3 / Comparatif d'égalité (**così**... **come, tanto**... **quanto**...) / 4 / Superlatif relatif / 5 / Futur de **dovere**, *devoir*. Emploi de **fra** (revision) / 6 / Futur et conditionnel de **dare**. Traduction de *dès que* ... (**appena**) / 7 / Subjonctif imparfait de **dire**, *dire* / 8 / Syntaxe du verbe : le subjonctif avec **non sapere, non credere**... / 9 / Emploi de **stare per**...(*être sur le point de* ...). Présent de l'indicatif de **salire**, *monter* / 10 / Subjonctif présent de **salire**, *monter* / 11 / Impératif (2ᵉ personne du singulier et du pluriel) de **tenere** (*tenir*).

indice grammaticale

quale adjectif interrogatif 16(5), pronom interrogatif 16(4)

quanto interrogatif (**combien de?**) 6(6), exclamatif (*que de! . . .*) 9(1)

regretter (**mi dispiace,** *je regrette*) sc. 18

salire, *monter.* Présent de l'ind. 18(9), subjonctif présent 18(10)

sapere, *savoir.* Présent de l'ind. 12(6), futur 11(9), subj. présent 18(2)

scegliere, *choisir.* Présent de l'ind. 16(5), part. pas. (**scelto**) 12(7A)

se employé avec le futur 11(9), employé avec le subj. imparfait 14(7)

soltanto (**ci vediamo soltanto oggi,** *nous ne nous voyons qu'aujourd'hui*) sc. 6

stare. Présent de l'ind. 6(3) présent de subj. 16(9)
Emploi de stare (**come stai?** *comment vas-tu?*) 6(4)
stare + gérondif (être en train de . . .) 8(5)
stare per (*être sur le point de*) 18(9)

stamattina, stasera, stanotte sc. 6

subjonctif présent de **essere** 10(5), **avere** 10(6), des verbes en **-are** 11(3), en **-ere** 13(8), en **-ire** (**sentire**) 13(9), (**finire**) 14(1)

emploi du subjonctif avec pare, sembra che (*il semble que*) 10(5)(6)
avec des verbes exprimant le doute un souhait, une crainte 10(7B), 14(2), 16(9)(10), 18(2)
avec **bisogna** (*il faut*) 11(3)(4), 14(3), 16(2)
avec **basta** (*il suffit*) 13(8), 16(2)
pour exprimer une hypothèse 13(9)
può darsi che (*il se peut que*)
pour exprimer la préférence (**è meglio che,** *il vaut mieux que*) 16(10)

subjonctif imparfait de **essere** 15(2), des verbes en **-are** 15(5), des verbes en **-ere** 15(9), des verbes en **-ire** 15(3) emploi 14(7), 15(2)(3)(5)(9) concordance des temps 15(5), 17(5B), 18(8)

suffixes diminutifs (**-ino, -etto**) 12(5AB)

augmentatif -one (**nuvolone,** *gros nuage*) sc. 14 (**ombrellone,** *parasol*) sc. 15

syntaxe du verbe
emploi du présent pour rendre le futur immédiat (sc. 12: **ora ti facciamo vedere,** *nous allons te montrer*)
syntaxe du futur 11(9)
syntaxe du subj. imparfait. Voir subj. imparfait

superlatif. Voir adjectif

tanto . . . quanto. Voir comparatif

tenere, tenir. Impératif 18(11)

être en train de 8(5)

uscire (**riuscire**). Présent de l'indicatif 15(1)

vedere, voir. Futur 15(7), participe passé (**visto**) sc. 10

venire, venir. Présent de l'indicatif 6(7)
venire a 6(7), futur 13(4), impératif 9(5), subj. présent 11(4), participe passé (**venuto**) sc. 12

vincere, *vaincre, gagner,* participe passé (**vinto**) sc. 16

volere, *vouloir.* Présent de l'indicatif 8(1), futur 11(9), conditionnel 11(5), subj. présent 13(8)

VOCABOLARIO

*N.B. 1° la lettre en italique (ex: It*a*lia) indique la place de l'accent tonique, lorsqu'il n'est pas à la place habituelle. 2° le numéro entre parenthèses (ex:* **autostrada** *(10)) indique le dialogue ou la planche de vocabulaire illustré où le mot apparaît pour la première fois.*

Accanto a (5) — à côté de
abbronzarsi (16) — bronzer
accomodarsi (4) — entrer, s'asseoir
*a*cqua (minerale) (9) — eau (minérale)
acquisto (12) — achat
addio! (14) — adieu
a*e*reo (18) — avion
affatto (11) — pas du tout
(non mi piace...) — (dans les phrases négatives)
agosto (6) — août
aiutare (9) — aider
aiuto! (15) — au secours!
albergo (18) — hôtel
*a*lbero (9) — arbre
alcuni (e) (12) — quelques
allora (3) — alors
alto (16) — élevé (prix), haut
altro (8) — autre
(vi occorre altro?) (15) — (avez-vous besoin d'autre chose?)
alzarsi (8) — se lever
amico (4) — ami
anche (1) — aussi
anche se (11) — même si
ancora (8) — encore
andare (3) — aller
– avanti (10) — avancer
– indietro (10) — reculer
– via (10) — s'en aller
– fuori (10) — sortir
anello (13) — bague
anno (6) — année
antipasto (17) — hors-d'œuvre
appena (18) — dès que...
aprile (6) — avril
aprire (4) — ouvrir
(aperto, 4) — (ouvert)
ar*a*ncia (13) — orange
aranciata (2) — orangeade
*a*ria (fem. 9) — air
arrivare (10) — arriver
arrivo (18) — arrivée
(il treno è in arrivo) — (le train arrive)
arrivederci (3) — au revoir
arrosto (pollo) (9) — rôti (poulet)
asciugarsi (15) — s'essuyer
asciugamano (15) — serviette de toilette
ascoltare (5) — écouter
aspettare (8) — attendre
attento! (10) — attention!
aug*u*rio (18) — souhait, vœu
autostrada (10) — autoroute
autunno (14) — automne
avanti! (8) — entrez!

avere (4) — avoir
azzurro (15) — bleu

Bagagli*a*io (9) — coffre (voiture)
bagno (15) — bain
fare il bagno — se baigner
ballare (14) — danser
bambino (16) — enfant
basta (13) — il suffit...
beato (4) — heureux
(beati voi!) — (vous avez de la chance!)
Befana (6) — fée Epiphanie (équivalent du Père Noël)
bellezza (6) — beauté
bello (4) — beau
bene (2) — bien
benzina (10) — essence
bere (4) — boire
bianco (3) — blanc
bicchiere (9) — verre
bin*a*rio (18) — voie (de chemin de fer)
biondo (16) — blond
birra (2) — bière
bisogna (11) — il faut
bistecca (ai ferri) (17) — beefsteak (grillé)
boa (fem. 15) — bouée
bocca (5) — bouche
borsetta (13) — sac à main
braccialetto (13) — bracelet
br*a*ccio (16) — bras
bravo (a) (3) — bon, fort, habile
bravo! (a, i, e) (5) — bravo!
bruciare (16) — brûler
brutto (14) — mauvais, vilain
buon giorno (1) — bonjour
buono — bon
burro (8) — beurre
buttare (15) — jeter

Caffè (2) — café,
(caffellatte) (8) — (café au lait)
c*a*lcio (3) — football
caldo (6) — chaleur, chaud
c*a*mera (4) — chambre
cameriere (2) — serveur, garçon de café
cam*i*cia (12) — chemise
camminare (10) — marcher
campagna (18) — campagne
campione (3) — champion
campionato (16) — championnat
cane (4) — chien

cantante (13) — chanteur
canzone (13) — chanson
capello (16) — cheveu
capire (6) — comprendre
capodanno (6) — jour de l'an
cappello (14) — chapeau
cappotto (13) — manteau
caramella (18) — bonbon
carne (17) — viande
caro (1) — cher
cartolina (18) — carte postale
casa (2) — maison
a casa mia, tua... — chez moi, chez toi...
a casa di... — chez
cattivo (13) — mauvais, méchant
c'è, ci sono (2) — il y a
ciao! (1) — salut! au revoir!
cielo (14) — ciel
c*i*nema (7) — cinéma
città (4) — ville
chiamare (1) — appeler
(chiamarsi) — (s'appeler)
chiave (9) — clé
chil*o*metro (8) — kilomètre
chi*u*dere (4) — fermer
(chiuso) — (fermé)
collana (13) — collier
colazione (8) — petit déjeuner
far colazione — déjeuner
coltello (9) — couteau
come...! (4) — comme...!
come? (1) — comment?
c*o*modo (4) — confortable
compagno (2) — camarade
cominciare (9) — commencer
c*o*mpiere — achever,
(ho compiuto 18 anni) (7) — (j'ai eu 18 ans)
comprare (11) — acheter
con*o*scere (6) — connaître
consigliare (16) — conseiller
contento (7) — content
conto (17) — addition (restaurant)
contorno (17) — accompagnement, garniture
cortesia (per) (15) — s'il vous plaît
corto (12) — court
c*o*rrere (15) — courir
corsa (fare la —) — faire la course
cosa (1) — chose
così (2) — ainsi, comme cela
così (6) — si, tellement
costare (17) — coûter
costume da bagno (15) — maillot de bain

cotoletta (17)	côtelette
cravatta (12)	cravate
credere (14)	croire
cucchiaio	cuiller
(—ino) (9)	(petite cuiller)
cucina (4)	cuisine
cuscino (5)	coussin
custode (4)	gardien
D'accordo (2)	d'accord!
dare (7)	donner
dare l'Aida (14)	jouer, donner Aida
dare un'occhiata (7)	jeter un coup d'œil
dare il via (15)	donner le signal du départ
davanti a (5)	devant
denaro (12)	argent
dente (masc.) (16)	dent
dentro (15)	dedans, à l'intérieur
desiderare (12)	désirer
destra (10)	droite
dicembre (6)	décembre
dietro (5)	derrière
di fronte a (17)	face à. en face de
di più (13)	davantáge
dimenticare (15)	oublier
dire (5) (detto, 13)	dire (dit)
disco (dischi) (5)	disque (disques)
disegno (5)	dessin
mi dispiace (18)	je regrette
dito (pl. le dita, 9)	doigt (les doigts)
diventare (6)	devenir
divertirsi (18)	s'amuser
divertente (14)	amusant
divertimento (13)	amusement
doccia (15) (fare la –)	douche (prendre une douche)
documenti (10)	papiers (administratifs)
dolce (17)	gâteau
dolere (mi duole, 16)	faire mal (j'ai mal à)
domani (3)	demain
domenica (7)	dimanche
dopo (9) (dopo-domani, 17)	après (après-demain)
donna (13)	femme
dormire (5)	dormir
dove (2)	où
dovere (14)	devoir
E (1)	et
ecco (1)	voici, voilà
erba (9)	herbe
esatto! (14)	c'est vrai! c'est exact!
essere (1)	être (auxiliaire)
essere in 4 (17)	être quatre
estate (f.) (14)	été

estero (18)	étranger (pays étrangers)
evviva! (6)	vive!
Faccia tosta! (che...) (8)	quel toupet!
fagiolino (17)	haricot vert
fame (8)	faim
fare (6) (fatto, 8)	faire (fait)
fare il bagno	se baigner, prendre un bain
— la doccia	prendre une douche
fa freddo (caldo)	il fait froid (chaud)
fazzoletto (13)	mouchoir
febbraio (6)	février
felice (14)	heureux
fermare (—arsi) (10)	arrêter (s'arrêter)
fetta (8)	tranche
fiasco (17)	fiasque
figlio (17)	fils
finestra (4)	fenêtre
finalmente (9)	enfin
finire (8)	finir
fino a (15)	jusqu'à
fiore (m.) (12)	fleur
fischiare (10)	siffler
forchetta (9)	fourchette
formaggio (17)	fromage
forse (13)	peut-être
forte (14)	fort, beaucoup
fortunato (2)	chanceux, qui a de la chance
per fortuna (14)	heureusement
forza! (10)	allez! vas-y!
fra (un minuto) (8)	dans (une minute)
Francia (18)	France
francese (1)	français
fratello (6)	frère
freddo (6)	froid
fresco (6)	frais
fritto (misto) (17)	friture (mélangée)
frutta (13)	fruits
frutti di mare	fruits de mer
fuori (9)	dehors
andar fuori (10)	sortir
Galleria (13) (in —)	galerie (sous la galerie
gamba (16)	jambe
gambero (16)	écrevisse
gatto (5)	chat
gelato (4)	glace (à manger)
genitori (6)	parents (père et mère)
gennaio (6)	janvier
gente (f. sing.) (7)	les gens
Germania (18)	Allemagne
ghiaccio (13)	glace (à rafraîchir)

già (9)	déjà
già (12)	certes
giacca (12)	veste
giallo (12)	jaune
giardino (4)	jardin
giocare (2)	jouer
gioia (17)	joie
giornale (14)	journal
giorno (1)	jour
giornata (10)	journée
giovane (10)	jeune
giovedì (7)	jeudi
giradischi (5)	tourne-disques
girare (10)	tourner
giro (andare in— per i negozi)	tour (faire le tour des magasins)
gita (7)	excursion
giugno (6)	juin
graffiare (5)	griffer
grande (4)	grand
grazie! (2)	merci
gridare (8)	crier
grigio (12)	gris
guardare (5)	regarder
guidare (7)	conduire
guidatore (10)	conducteur
Idea (3)	idée
ieri (6)	hier
illuminare (7)	éclairer
impaziente (8)	impatient
incontrare (2)	rencontrer
indirizzo (18)	adresse
indossare (13)	porter, mettre (vêtement)
Inghilterra (18)	Angleterre
ingorgo (10)	embouteillage
insalata (9)	salade
insieme (14)	ensemble
invece (8)	au contraire
invece di (10)	au lieu de
inverno (13)	hiver
inviare (18)	envoyer
invitare (13)	inviter
Italia (italiano) (1)	Italie (italien)
Laggiù (9)	là-bas
lana (12)	laine
lasciare (4)	laisser, quitter
lavarsi (8)	se laver
lettera (6)	lettre
letto (5)	lit
lì, là (17)	là
libro (5)	livre
liceo (3)	lycée
limone (13)	citron
lingua (17)	langue
lira (3)	lire
lista (17)	carte (restaurant)
lontano (9)	loin
luglio (6)	juillet
lunedì (7)	lundi

vocabolario

lungo (lunghi) (12) long (longs)
(a lungo) (12) (longtemps)

Ma (3) mais
macché! (1) mais non!
macchina (7) auto, voiture
maglia (12) tricot, pull-over
madre (6) mère
mamma (6) maman
maggio (6) mai
magro (9) maigre
mai (2) jamais
malato (17) malade
male (6) mal
mancia (17) pourboire
mandare (18) envoyer
mangiare (5) manger
mano (5) main
marciapiede (10) trottoir
mare (masc.) (14) mer
marito (15) mari
marmellata (8) confiture
marzo (6) mars
martedì (7) mardi
mattina (8) matin
mela (17) pomme
meno (8) moins
meno male! (8) à la bonne heure!...

mentre (16) pendant que
meraviglioso (9) merveilleux
mercoledì (7) mercredi
mettere (2) mettre
(mettersi) (se mettre)
mese (6) mois
meglio (9) mieux
è meglio che (18) il vaut mieux que
mezzo (8) demi
mezz'ora (8) demi-heure
mezzogiorno (8) midi
mezzanotte (14) minuit
Milano (1) Milan
minestra (17) plat de pâtes
– in brodo potage
minigonna (13) minijupe
minuto (masc.) (8) minute
moglie (15) femme (épouse)
momento (2) moment
mondo (7) monde
montagna (6) montagne
in montagna à la montagne
multa (10) amende, contravention
muoversi (18) se déplacer, partir
mosso (15) (mare) agité (mer agitée)
musica (5) musique
molto (3) beaucoup, très...

Napoli (8) Naples
nastro (magnetico) bande (magnétique)
Natale (6) Noël

naturale (7) naturel
nave (f.) (18) bateau
ne (12) en
neanche (11) même pas
(neanche per sogno) (jamais de la vie)
nebbia (14) brouillard
negozio (11) magasin
nero (3) noir
nessun (14) aucun (il n'y a
(non c'è — film) aucun film)
nevicare (6) neiger
niente (5) rien
(niente carne) (17) (pas de viande)
no (1) non
nome (18) nom,
nonno grand-père
(nonna) (6) (grand-mère)
nonni (6) grands-parents
notte (7) nuit
novembre (6) novembre
novità (12) nouveauté
nulla (15) rien
numero (3) numéro
nuotare (6) nager
nuoto (3) nage
nuotatore (16) nageur
nuovo (13) nouveau
nuvola (nuvolone nuage (gros
masc.) (14) nuage)

O (1) ou
occhio (16) œil
(occhiata) (7) (coup d'œil)
occhiali (da sole) lunettes (de
(15) soleil)
occorrere falloir
(occorre) (15) (il faut)
oggi (6) aujourd'hui
ogni (16) chaque
ombra (9) ombre
ombrello (12) parapluie
ombrellone (15) parasol
ora (6) maintenant
ora ti facciamo nous allons te
vedere faire voir
ora (6) heure
orchestra (f.) (13) orchestre
ordinare (13) commander (café)
ottimo (14) excellent
ottobre (6) octobre

Pacco (12) paquet
pacchetto (15)
padre (6) père
pagare (3) payer
pane (8) pain
paniere (9) panier
parere (10) sembler
pare che (10) il semble que...
a parer mio (tuo) à mon (ton...)
(10) avis

Parigi (18) Paris
parlare (6) parler
partecipare (16) participer
partecipare ai disputer les
campionati championnats
partire (6) partir
partenza (18) (in –) départ (au départ)
partita (2) partie (sport, jeu)
Pasqua (6) Pâques
passeggiata (6) promenade
pastasciutta (8) plat de pâtes
patata (patatina) pomme de terre
(17)
patente (7) permis de conduire
paura (5) peur
pazienza (10) patience
peccato! (17) dommage!
pensare (3) penser
pensare di (10) avoir l'intention de
per (2) pour
per carità! (3) je vous (t') en prie!
pera (13) poire
perché? (8) pourquoi?
(perché no?) (pourquoi pas?)
perché (6) parce que
perché avec pour que
subjonctif (11)
perdere (8) perdre
per favore (5) s'il vous plaît
permesso? (8) vous permettez? (je peux entrer?)
però (4) pourtant
pesare (9) peser
pesante (13) lourd
pesca (13) pêche
pesce (17) (alla poisson (grillé)
griglia)
pettinarsi (8) se peigner
piccolo (4) petit
piacere! (5) enchanté!
piacere (10) plaisir
piacere (verbe) (3) plaire
(mi piace, mi j'aime
piacciono)
piano (4) étage
piano (adv.) (10) doucement, lentement
piatto (9) assiette
piazza (6) place (Navone)
(Navona)
piede (9) (a —) pied (à pied)
pieno (11) plein
piovere (14) pleuvoir
pioggia (pluie)
pittore (7) peintre
più (3) plus
piuttosto (5) plutôt
poco (po') (9) peu
pollo (9) poulet

poltrona (5) — fauteuil
pomeriggio (11) — après-midi
pomodoro (17) — tomate
porta (4) — porte
portafoglio (11) — porte-feuille
portare (4) — porter, conduire
portar su (18) — monter (quelque chose)
portiere (3) — gardien de but
possibile (14) — possible
 (se fosse possibile) — (si c'était possible)
posto (9) — place
potere (9) — pouvoir
povero! (5) — le pauvre!
pranzo (17) — repas
prato (9) — pré
preferire (3) — préférer
pregare (prego) (18) — prier (je vous en prie)
prendere (preso) (2) — prendre (pris)
prenotare (16) — retenir (une place, une table)
preoccuparsi (10) — se faire du souci
presentare (5) — présenter
presto (8) — vite
 (fa presto!) — (fais vite!)
presto (ancora presto, 15) — tôt
prezzo (17) — prix
prima (di) (12) — avant (de)
prima che (14) — avant que
primavera (f.) (14) — printemps
primo (17) — premier plat, entrée
professore (professoressa) (5) — professeur
pronto! (11) — allô!
pronto (4) — prêt
proprio (9) — vraiment, justement
prosciutto (17) — jambon
prossimo (7) — prochain
provenire (proveniente) (18) — provenir (en provenance de)
pullman (10) — autocar de tourisme
puntuale (8) — ponctuel
può darsi che (13) — il se peut que
pure (4) — (renforce l'invitation)
 (entrate pure!) — (entrez donc!)
purtroppo (10) — malheureusement (10)

Qui (2) qua (14) — ici
quaderno (5) — cahier
quadro (7) — tableau
quando (6) — quand
quanto? (7) — combien?

quanto (a, i, e)...! (9) — que de...!
quasi (3) — presque
quarto (8) — quart
 (meno un quarto) — (moins le quart)

Ragazzo (1) (ragazza) — garçon (fille)
ragione (4) — raison
rapido (18) — rapide
regalo (11) — cadeau
registratore (5) — magnétophone
restare (14) — rester
ricciuto (16) — frisé
ricevere (6) — recevoir
ricco (11) — riche
ricordarsi (14) — se souvenir
ridicolo (13) — ridicule
ringraziare (18) — remercier
riposarsi (2) — se reposer
rispondere (11) — répondre
risposta (18) — réponse
ristorante (16) — restaurant
ritardo (8) — retard
ritorno (11) — retour
ritrovare (2) — retrouver
riuscire (15) — réussir
Roma (romano) (1) — Rome (romain)
romantico (10) — romantique
rosso (10) — rouge
rovinarsi (12) — se ruiner
rumore (10) — bruit

Sabato (7) — samedi
sabbia (f.) (16) — sable
salame (9) — saucisson
salire (18) — monter
salve! (5) — salut! bonjour!
sapere (9) — savoir
scambiare (per) (7) — prendre pour...
sbadato (7) — étourdi
scarpa (12) — chaussure, soulier
scegliere (9) (scelto) (11) — choisir (choisi)
scendere (18) — descendre
scherzare (15) — plaisanter
schiena (16) — dos
sci (sciare) (3) — ski (skier)
sciarpa (12) — écharpe, foulard
scommettere (11) — parier
scoppiare (14) — éclater
scorso (13) — passé
scrivere (18) — écrire
scuola (2) — école
scusare (4) — excuser
sdraia (15) — chaise longue
sdraiare (9) — étendre
sedia (2) — chaise
sedere (seduto) (5) — s'asseoir (assis)
seguire (3) — suivre
semaforo (10) — feux de signalisation

sembrare (9) — sembler
 (mi sembra) — (il me semble)
sempre (5) — toujours
sentire (6) — entendre
sentirsi (9) — se sentir
senza (15) — sans
senz'altro (14) — sans aucun doute
sera (f.) (4) — soir
serio (13) — sérieux
 (sul—) — (sérieusement)
servire (15) — servir
seta (12) — soie
sete (9) — soif
settembre (6) — septembre
settimana (6) — semaine
settimanale (18) — hebdomadaire
simpatico (4) — sympathique
stesso (12) — même
sì (1) — oui
sicuro (12) — sûr, bien sûr
signore (signora) (2) — monsieur (madame)
silenzio (5) — silence
sinistra (10) — gauche
soggiorno (4) — séjour
sole (9) — soleil
soltanto (6) — seulement
sorella (5) — sœur
solo (4) — seul
soprattutto (16) — surtout
sopra (5) — sur, au-dessus
sorridente (17) — souriant
sotto (5) — sous
specialità (5) — spécialité
spendere (11) — dépenser
 fare spese — faire des achats
sperare (10) — espérer
 (sperare di)
spesso (6) — souvent
spiaggia (15) — plage
spingere (10) — pousser
spiritoso (3) — spirituel
sorpassare (10) — dépasser
sportivo (2) — sportif
spremuta di limone (13) — citron pressé
 (— d'arancia) — (orange pressée)
squadra (3) — équipe
stadio (3) — stade
stanco (12) — fatigué
stare (15) — aller, être (comment vas-tu?)
 (come stai?)
stasera (6) — ce soir
stamattina (6) — ce matin
stendere (9) — étendre
strada (8) — route
studente (3) — étudiant
 (studentessa) — (étudiante)
supermercato (11) — supermarché
su (5) — sur
su! (5) — allons!
subito (4) — tout de suite

vocabolario

succ*e*dere (che cosa succede?) (5) — que se passe-t-il?...
succo (13) (di frutta) — jus (de fruit)
suonare (10) — klaxonner
svegliarsi (8) — s'éveiller

Tardi (10) — tard
tasca (11) — poche
ta*v*ola (5) (tavolino) (16) — table (table de café)
tazza (8) — tasse
telefonare (11) — téléphoner
televisione (3) — télévision
televisore (5) — poste de télévision
temere (10) — craindre
tempo (6) (in —) (10) — temps (à temps)
temporale (14) — orage
tenere (18) — tenir
testa (16) — tête
tintarella (16) (pr*e*ndere la —) — bronzer
tira vento (15) — le vent souffle
tornare (4) — revenir
tova*g*lia (9) — nappe

tovagliolo (17) — serviette de table
tra (12) — entre
tra*ff*ico (8) — circulation
trattoria (17) — restaurant
treno (18) — train
troppo (9) — trop
trovare (9) — trouver
tu*ff*arsi (16) — plonger
turis*t*a (7) — touriste
tutto (3) (tutti) — tout (tous)

Uccello (3) — oiseau
*u*ltimo (12) — dernier
u*o*mo (u*o*mini) (15) — homme (hommes)
uovo (uova (f.) sode) (9) — œuf (œufs durs)
usare (9) — employer
uscire (8) — sortir
uva (13) — raisin

Vacanze (18) — vacances
vali*g*ia (18) — valise
v*e*cchio (6) — vieux
vedere (3) (visto) (10) (non vedere l'ora di...) (6) — voir (vu) (être impatient de...)

veloce (10) — rapide, vite
venerdì (7) — vendredi
venire (6) — venir
vero (3) (non è vero?) (4) — vrai.. (n'est-ce pas?)...
verde (9) — vert
vestirsi (8) — s'habiller
vestito (13) — vêtement,'robe
via (3) — rue
via! (15) via! (8) — partez! allez!
andar via (10) — s'en aller
vi*a*ggio (18) — voyage
vicino (2) — proche, voisin
v*i*gile (10) — agent de police
villino (3) — villa
v*i*ncere (vinto) (16) — vaincre, gagner (vaincu, battu)
v*o*glia (15) — envie
volentieri (3) — volontiers
volere (8) — vouloir
volta (15) — fois
v*o*ngola — clovisse
vuoto (11) — vide

Zio (6) — oncle
zitto (a, i, e) (4) — silence
zu*c*chero (9) — sucre
zuppa (17) — soupe

AIDE-MÉMOIRE GRAMMATICAL
LE NOM

1 / LE NOM (MASCULIN)

I Noms masculins:

un ragazzo un milanese un turista	la plupart des noms masculins se terminent par O ou E un certain nombre se terminent par A.

N.B. Un fiore (les noms se terminant par **-ore** sont masculins)

2 Pluriel des noms masculins.

ragazzo → ragazzi milanese → milanesi turista → turisti	O E > I A	Les noms masculins font leur pluriel en **I**

Cas particuliers:
disco → dischi (N.B. amico → amici)   zio (i tonique) → **zii**
negozio (i atone) → negozi   **uomo** → **uomini**
                                                                                    l'uovo sodo (masculin) → le uova sode (féminin)

2 / LE NOM (FEMININ)

1 Noms féminins:

una ragazza una francese	la plupart des noms féminins se terminent par A ou E

N.B. Un seul se termine par **o** (mano)

2 Pluriel des noms féminins:

ragazza → ragazze francese → francesi	A → E E → I	N.B. mano → mani

Cas particuliers: giacca → giacche   amica → amiche.

3 Formation du féminin:

ragazzo → ragazza	les noms masculins en O ont leur féminin en A.

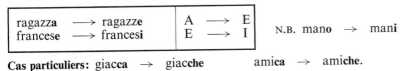

N.B. francese → francese
      signore → signora   cameriere → cameriera
      professore → professor**essa**   studente → student**essa**
      nuotatore → nuota**trice**
      uomo → **donna**

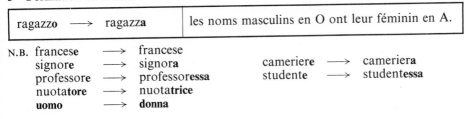

3 / NOMS INVARIABLES:

Un certain nombre de noms sont invariables:

un caffè	$\longrightarrow$ due caffè	noms accentués sur la dernière syllabe
una città	$\longrightarrow$ due città	
lo sport	$\longrightarrow$ gli sport	noms terminés par une consonne.

L'ARTICLE

1 Article indéfini:

masculin	un	tavolino italiano	un	devant consonne ou voyelle
masculin	uno	sportivo zio	uno	devant **s impur* ou z**
fém.	una	birra	una	devant consonne
fém.	un'	aranciata	un'	devant voyelle

* **s impur**: s suivi d'une consonne.

2 Article défini:

		singulier	pluriel		
masculin	il	villino	i	villini	devant consonne
masculin	lo	sportivo zio	gli	sportivi zii	devant **s impur** ou **z**
masculin	l'	uccello	gli	uccelli	devant voyelle
fém.	la	casa	le	case	devant consonne
fém.	l'	idea	le	idee	devant voyelle

Emplois particuliers: devant **signore**: Sono **il** signor Martini (mais: Buona sera, **signor** Martini)
pour l'heure: è **l'**una, sono **le** 2 (mais: è mezzogiorno, è mezzanotte)

3 Article contracté:

	masculin					féminin		
	il	i	lo	l'	gli	la	l'	le
a	al	ai	allo	all'	agli	alla	all'	alle
da	dal	dai	dallo	dall'	dagli	dalla	dall'	dalle
su	sul	sui	sullo	sull'	sugli	sulla	sull'	sulle
di	del	dei	dello	dell'	degli	della	dell'	delle
in	nel	nei	nello	nell'	negli	nella	nell'	nelle
con	col	coi	collo	coll'	cogli	colla	coll'	colle

N.B. les formes **col, coi, collo** ... sont relativement peu employées (on dit **con il, con lo** ...)
ho comprato una cravatta ... pluriel: ho comprato cravatte *ou*: ho comprato **delle** cravatte.
a casa, **a** scuola, **a** teatro, **in** centro ... (*expressions usuelles sans article*)

SUFFIXES

1 Suffixes diminutifs.

ecco il gat**tino** di Claudia ecco l'automobil**ina** di Massimo ecco la cas**etta** di Paola	(gatto ⟶ gat**tino**) (automobile ⟶ automobil**ina**) (casa ⟶ cas**etta**)	**ino, ina, ini, ine** **etto, etta, etti, ette**

N.B. Aspetto un po**chino**.

2 Suffixes augmentatifs:

ombr**ello** ⟶ ombrell**one**	**one**

N.B. nuvol**a** (*fem.*) ⟶ nuvol**one** (*masculin*)

L'ADJECTIF

ADJECTIF

	singulier	pluriel		
masc.	Marcello è romano questo libro è verde	questi ragazzi sono romani questi libri sono verdi	O E	⟩ I
fém.	Paola è romana questa cravatta è verde	queste ragazze sono romane queste cravatte sono verdi	A ⟶ E E ⟶ I	

Cas particuliers:

masculin: bian**co** ⟶ bian**chi**   **CO** ⟶ **CHI**
            lar**go** ⟶ lar**ghi**   **GO** ⟶ **GHI**
            vec**chio** ⟶ vec**chi**   **IO** (i attone) ⟶ **I**
féminin: bian**ca** ⟶ bian**che**   **CA** ⟶ **CHE**
           lar**ga** ⟶ lar**ghe**   **GA** ⟶ **GHE**

BELLO   **singulier**   **pluriel**

masculin	**bel** cane **bello** stadio **bell'** uccello	**bei** cani **begli** stadi **begli** uccelli	devant consonne devant s impur* (ou z) devant voyelle
fém.	**bella** casa **bell'** idea	**belle** case **belle** idee	devant consonne devant voyelle

* **s** impur:
s suivi d'une consonne.

BUONO

masc.	**buon** gelato **buono** zio	N.B.: questo gelato è **buono**
fém.	**buona** casa **buon'** idea	quest'idea è **buona**

N.B. **buono** superlatif absolu
*o*ttimo (**buon'idea** *o*ttima idea)

SUPERLATIF

1 Superlatif absolu :

è conten**to**	⟶	conten**tissimo**	molto contento
è conten**ta**	⟶	conten**tissima**	molto contenta
bene	⟶	be**nissimo**	molto bene

N.B. stan**co** ⟶ stan**chissimo**   molto stanco
    lar**go** ⟶ lar**ghissimo**   molto largo
    molto adverbe est invariable (contentissimi, molto contenti, contentissime, molto contente)

2 Superlatif relatif :

la **più** bella città del mondo è Parigi Parigi è la città **più** bella del mondo	(N.B. pas d'article devant **più** lorsque l'article se trouve déjà devant le nom)

COMPARATIF

1 Egalité

Parigi è **(tanto)** fredda	**quanto** Milano
Parigi è **(così)** fredda	**come** Milano

2 Supériorité et infériorité

Franco è **più** veloce **di** Paola Franco è **meno** sportivo **di** Paola L'Alfa Romeo è **più** rapida **della** Fiat.

ADJECTIFS ET PRONOMS POSSESSIFS

1 Adjectifs possessifs

masculin

	singulier		pluriel
il	mio tuo suo nostro vostro loro	i	miei tuoi suoi nostri vostri loro

féminin

	singulier		pluriel
la	mia tua sua nostra vostra loro	le	mie tue sue nostre vostre loro

N.B. le possessif est précédé de l'article sauf cas particuliers :
    expressions usuelles : **a casa mia, a parer mio** . . .
    mio fratello   **mia** madre (devant nom de parenté sauf quand
    i miei fratelli   — le nom de parenté est au pluriel
    il mio fratellino   — le nom de parenté est au diminutif
    il mio caro fratello — ou est accompagné d'un adjectif **(babbo, mamma)**
    il loro fratello   **loro** est invariable et il est toujours accompagné de l'article.

2 Pronoms possessifs:
les pronoms possessifs ont la même forme que les adjectifs.

ADJECTIFS ET PRONOMS DÉMONSTRATIFS

1 adjectifs démonstratifs:

	singulier	pluriel	
masc. fem.	**questo** prato **questa** tovaglia	**questi** prati **queste** tovaglie	**qui,** *ici*
masc.	**quel** prato **quello** stadio **quell'**albero	**quei** prati **quegli** stadi **quegli** alberi	**lì, là, laggiù** *là, là-bas*
fem.	**quella** fontana **quell'**acqua	**quelle** fontane **quelle** acque	

Emploi: **questo, a, i, e,** est employé pour désigner ce qui est proche dans l'espace ou dans le temps.
quello ... est employé pour désigner ce qui est éloigné dans l'espace ou dans le temps.

2 pronoms démonstratifs:

Quale vuoi?	voglio **questo** voglio **questa** voglio **quello** voglio **quella**	Quali vuoi?	voglio **questi** voglio **queste** voglio **quelli** voglio **quelle**

PRONOMS PERSONNELS

1 Formes du pronom personnel:

sujet	complément		réfléchi	forme forte
	direct	indirect		
io	**mi** (vede)	**mi** (parla)	**mi** (alzo)	**me**
tu	**ti** (vede)	**ti** (parla)	**ti** (alzi)	**te**
egli	**lo** (vede)	**gli** (parla)	**si** (alza)	**lui**
essa	**la** (vede)	**le** (parla)		**lei**
noi	**ci** (vede)	**ci** (parla)	**ci** (alziamo)	**noi**
voi	**vi** (vede)	**vi** (parla)	**vi** (alzate)	**voi**
essi	**li** (vede)	**loro** (parla **loro**)	**si** (alzano)	**loro**
esse	**le** (vede)			

N.B. pago **io**: *c'est moi qui* paie.
mi guarda: il me regarde ... guarda **me**: **c'est moi qu'**il regarde.
ne: ne sono sicuro, **ne** voglio. (j'**en** suis sûr, j'**en** veux)
ci: ci vado (*j'y vais*)
sé: Franco vorrebbe scegliere un regalo per **sé**/(pour *lui*)
i miei amici vorrebbero scegliere un regalo per **sé** (pour *eux*).

2 Place du pronom personnel complément :

Paola **mi** guarda Paola **mi** telefona Paola viene con **me**	comme en français

N.B. Paola parla **loro** (**loro** est toujours placé après le verbe et ne se soude jamais)
    chiama**lo**   les pronoms faibles se soudent après l'impératif
    parla**gli** parla**le**
    di**mmi**, fa**mmi**, da**mmi** . . .
    hai fatto bene a chiama**rlo**   l'infinitif
    guard**andomi**   le gérondif
    ecco, ecco**lo**, ecco**la**, ecco**li**, ecco**le**.

FORME DE POLITESSE (LEI)

1 formes :

Sujet	complément		forme forte
	direct	indirect	
Lei Loro	la le	le loro	lei loro

2 Emploi :

(Lei) suona in città. (Lei) avrà la multa. Come si chiama (Lei)?
N.B. **Loro** est moins employé (café, restaurant, hôtel : come si chiamano ? Che cosa prendono (Loro)?
Marcello non ha ordinato niente per **Lei** (Signore, Signora, Signorina).
(Marcello non ha ordinato niente per **Loro**.)
Se (Lei) vuol tornare a casa **La** porto in macchina.
Se (Lei) ha sete **Le** porto subito una birra.
Cameriere, mi **porti** il menù per favore! Cameriere mi **dia** il giornale per favore!
Scusi, Signore, è **Sua** questa macchina? No, non è mia.

ADJECTIFS NUMÉRAUX

CARDINAUX	ORDINAUX	CARDINAUX	ORDINAUX	CARDINAUX	ORDINAUX
uno	primo	undici	undicesimo	ventuno	ventunesimo
due	secondo	dodici	dodicesimo	ventidue	ventiduesimo
tre	terzo	tredici	tredicesimo	ventitré	ventitreesimo
quattro	quarto	quattordici	quattordicesimo	ventiquattro	ventiquattresimo
cinque	quinto	quindici	quindicesimo	venticinque	venticinquesimo
sei	sesto	sedici	sedicesimo	ventisei	ventiseesimo
sette	settimo	diciassette	diciassettesimo	ventisette	ventisettesimo
otto	ottavo	diciotto	diciottesimo	ventotto	ventottesimo
nove	nono	diciannove	diciannovesimo	ventinove	ventinovesimo
dieci	decimo	venti	ventesimo	trenta	trentesimo

CARDINAUX	ORDINAUX	CARDINAUX	ORDINAUX
trentuno	trentunesimo	cinquanta	cinquantesimo
trentadue	trentaduesimo	sessanta	sessantesimo
trentatré	trentatreesimo	settanta	settantesimo
trentaquattro	trentaquattresimo	ottanta	ottantesimo
trentacinque	trentacinquesimo	novanta	novantesimo
trentasei	trentaseesimo	cento	centesimo
trentasette	trentasettesimo	duecento	duecentesimo
trentotto	trentottesimo	trecento	trecentesimo
trentanove	trentanovesimo	mille	millesimo
quaranta	quarantesimo	duemila	duemillesimo
		un milione	milionesimo

N.B. **Cento** est invariable
ven*t*uno, tren*t*uno, ven*t*otto, tren*t*otto . . .
Mil*l*e duemi*l*a.

EMPLOI DE *FRA*. TRADUCTION DE *IL Y A* INDIQUANT LE TEMPS

1 **Emploi de fra:**
   Partirò **fra** due giorni, **fra** un'ora, **fra** mezz'ora.
2 **Traduction de il y a** indiquant le temps:
   Due giorni fa ho incontrato i miei amici a Piazza Navona.

PRONOMS RELATIFS

1 **dove** ci mettiamo?
2 è il vino **che** preferisco, è la zuppa **che** preferisco.
3 il signore **che** sta arrivando si chiama Franco Martini.

ADJECTIFS ET PRONOMS INTERROGATIFS

1 **Che cosa** desidera, Signore? **che** ora è?
2 **Chi** è?
3 **Quale** piscina preferisci? (*adjectif*)
   Ecco due libri. **Quale** preferisci? (*pronom*)
4 Da **quanto** tempo hai un cane? (*adjectif*)
   Quanto hai pagato? (*pronom*)

EXCLAMATIFS

1 **Che** bella casa!   **Che** begli alberi!
2 **Quanto** sole!   **Quanta** gente!   **Quanti** turisti!   **Quante** turiste!
3 **Com'è** bello!   **Quant'è** caro!

INDÉFINIS

1 MOLTO, POCO, TROPPO, TANTO

c'è molta gente ci sono molti turisti avevo poche lire avevo tante lire c'è troppa gente ci sono pochi turisti	**molto, poco, troppo, tanto** sont variables.

2 comprerò **qualche** regalo
    comprerò **alcuni** regali   comprerò alcune cravatte | (**qualche** est invariable et il est suivi d'un singulier)

3 **ogni** sera vado al caffè (**ogni** est invariable)

4 Nessuno, niente:
    non c'è **nessun** film divertente. Non c'è **nessuna** cantante italiana (*adjectif*)
    Nessuno è venuto. Non è venuto **nessuno** (*pronom*)   **Niente** mi piace   Non è **niente**

    N.B. Quand **niente** et **nessuno** précèdent le verbe on n'emploie pas **non**.

5 traduction de **on:**
    1) **si sente** un po' di **fresco**   **Si sentono** tutte **le lingue** del mondo   **Si sentono** parlare **molti turisti**
    2) stasera **danno** l'Aida.

ADVERBES

1 formation:
    sono   fortunato ⟶ fortunatamente ho trovato un tassì
    sei   imprudente ⟶ sorpassi imprudentemente
                         finalmente ho trovato un tassì

N.B. pour former l'adverbe on ajoute **mente** à l'adjectif au *féminin*.
    si può andar **veloci** sull'autostrada (*adjectif* employé comme adverbe)

2 quelques adverbes:
    bene, male, così, ancora, anche, quasi, come, però, piuttosto, proprio
    adverbes de lieu: **dove, su, giù, dietro, qui, qua, lì, là, laggiù, lontano,**
    vicino, sopra, sotto, dentro, fuori, ci, vi (*y*)
    adverbes de temps: **ora, adesso, sempre, mai, domani, dopodomani, ieri,**
    ieri l'altro, prima, poi, allora, poco, ancora, presto, tardi, subito, spesso, già
    affirmation, négation et doute: **sì, già, forse, no, senz'altro**
    quantité: **molto, poco, troppo, tanto, quanto**

PRÉPOSITIONS

1) A: vengo **a** vedere Paola (on emploie **a** après les verbes de mouvement devant un autre verbe)

2) DI: ho comprato une cravatta **di** seta
    N.B. **Di** chi è questa macchina? Dir **di** sì, dir **di** no.

3) DA : **Da** quanto tempo conoscete Marcello? Marcello aspetta **da** mezz'ora.
    Da Roma a Tivoli ci sono trentotto chilometri.
    Da indique l'origine, le point de départ dans le temps ou dans l'espace.

L'uccello entra **dalla** finestra.
Fa un caldo **da** morire.
Dammi **da** bere.
Ho dimenticato gli occhiali **da** sole.
Franco è chiamato **dal** vigile.

CONJONCTIONS

Quelques conjonctions: **e, o, se, ma, dunque, però, mentre, quando, come, perché, neanche**

N.B. **perché** ha fischiato il vigile? Ha fischiato **perché** tu sei passato col rosso (avec *indicatif*)
Ti telefono **perché** tu venga con noi (avec *subjonctif*).

CONJUGAISONS

1 AUXILIAIRES: ESSERE, être

PRÉSENT	FUTUR	CONDI-TIONNEL	IMPAR-FAIT	PASSÉ COMPOSÉ	SUBJONCTIF	
					PRÉSENT	IMPARFAIT
sono	sarò	sarei	ero	sono stato(a)	sia	fossi
sei	sarai	saresti	eri	sei stato(a)	sia	fossi
è	sarà	sarebbe	era	è stato(a)	sia	fosse
siamo	saremo	saremmo	eravamo	siamo stati(e)	siamo	fossimo
siete	sarete	sareste	eravate	siete stati(e)	siate	foste
sono	saranno	sarebbero	erano	sono stati(e)	siano	fossero

IMPÉRATIF: **sii, sia** (Lei), **siamo, siate**   IMPÉRATIF NÉGATIF: **non essere**
GÉRONDIF: **essendo.**

AVERE, avoir

PRÉSENT	FUTUR	CONDI-TIONNEL	IMPAR-FAIT	PASSÉ COMPOSÉ	SUBJONCTIF	
					PRÉSENT	IMPARFAIT
ho	avrò	avrei	avevo	ho avuto	abbia	avessi
hai	avrai	avresti	avevi	hai avuto	abbia	avessi
ha	avrà	avrebbe	aveva	ha avuto	abbia	avesse
abbiamo	avremo	avremmo	avevamo	abbiamo avuto	abbiamo	avessimo
avete	avrete	avreste	avevate	avete avuto	abbiate	aveste
hanno	avranno	avrebbero	avevano	hanno avuto	abbiano	avessero

IMPÉRATIF: **abbi, abbia** (Lei), **abbiamo, abbiate**
GÉRONDIF: **avendo.**

Emploi: 1° **c'è, ci sono**, *il y a*, **c'era, c'erano**, *il y avait*, **ci sarà, ci saranno**, *il y aura*.
c'è un caffé, ci sono tre sedie.
2° **chi è?   Sono io.**
Sono io, (*c'est moi*), **sei tu** (*c'est toi*), **è lui** (*c'est lui*), **è lei** (*c'est elle*), **siamo noi** (*c'est nous*), **siete voi** (*c'est vous*), **sono loro** (*ce sont eux*) (Mais: **pago io**: *c'est moi* qui paie)

2 CONJUGAISONS RÉGULIÈRES. Verbes en -ARE. PARLARE, parler

PRÉSENT	FUTUR	CONDI-TIONNEL	IMPAR-FAIT	PASSÉ COMPOSÉ	SUBJONCTIF	
					PRÉSENT	IMPARFAIT
parlo	parlerò	parlerei	parlavo	ho parlato	parli	parlassi
parli	parlerai	parleresti	parlavi	hai parlato	parli	parlassi
parla	parlerà	parlerebbe	parlava	—	parli	parlasse
parliamo	parleremo	parleremmo	parlavamo	—	parliamo	parlassimo
parlate	parlerete	parlereste	parlavate	—	parliate	parlaste
parlano	parleranno	parlerebbero	parlavano	—	parlino	parlassero

IMPÉRATIF: **parla, parli** (Lei), **parliamo, parlate**   GÉRONDIF: **parlando**

N.B. **pagare**, présent: pago, paghi, paga, paghiamo, pagate, pagano.
mangiare, présent: mangio, mangi, mangia, mangiamo, mangiate, mangiano
cominciare, présent: comincio, cominci, comincia, cominciamo, cominciate, cominciano.
pagare, futur, conditionnel: pagherò (pagherei), pagherai (pagheresti), pagherà (pagherebbe), pagheremo, (pagheremmo), pagherete (paghereste), pagheranno (pagherebbero).
cominciare, futur, conditionnel: comincerò (comincerei), comincerai (cominceresti), comincerà (comincerebbe), cominceremo (cominceremmo), comincerete (comincereste), cominceranno (comincerebbero).
mangiare, futur, conditionnel: mangerò (mangerei) mangerai (mangeresti) . . .

VERBES EN -ERE: RIPETERE, répéter.

PRÉSENT	FUTUR	CONDI-TIONNEL	IMPAR-FAIT	PASSÉ COMPOSÉ	SUBJONCTIF	
					PRÉSENT	IMPARFAIT
ripeto	ripeterò	ripeterei	ripetevo	ho ripetuto	ripeta	ripetessi
ripeti	ripeterai	ripeteresti	ripetevi	—	ripeta	ripetessi
ripete	ripeterà	ripeterebbe	ripeteva	—	ripeta	ripetesse
ripetiamo	ripeteremo	ripeteremmo	ripetevamo	—	ripetiamo	ripetessimo
ripetete	ripeterete	ripetereste	ripetevate	—	ripetiate	ripeteste
ripetono	ripeteranno	ripeterebbero	ripetevano	—	ripetano	ripetessero

IMPÉRATIF: **ripeti, ripeta, ripetiamo, ripetete**   GÉRONDIF: **ripetendo.**

VERBES EN -IRE. 1 / PARTIRE, partir.

PRÉSENT	FUTUR	CONDI-TIONNEL	IMPAR-FAIT	PASSÉ COMPOSÉ	SUBJONCTIF	
					PRÉSENT	IMPARFAIT
parto	partirò	partirei	partivo	sono partito(a)	parta	partissi
parti	partirai	partiresti	partivi	sei partito(a)	parta	partissi
parte	partirà	partirebbe	partiva	è partito(a)	parta	partisse
partiamo	partiremo	partiremmo	partivamo	siamo partiti(e)	partiamo	partissimo
partite	partirete	partireste	partivate	siete partiti(e)	partiate	partiste
partono	partiranno	partirebbero	partivano	sono partiti(e)	partano	partissero

IMPÉRATIF: **parti, parta** (Lei), **partiamo, partite**   GÉRONDIF: **partendo.**

2 / CAPIRE, comprendre

PRÉSENT	FUTUR	CONDI-TIONNEL	IMPAR-FAIT	PASSÉ COMPOSÉ	SUBJONCTIF	
					PRÉSENT	IMPARFAIT
capisco	capirò	capirei	capivo	ho capito	capisca	capissi
capisci	capirai	capiresti	capivi	hai capito	capisca	capissi
capisce	capirà	capirebbe	capiva	ha capito	capisca	capisse
capiamo	capiremo	capiremmo	capivamo	abbiamo capito	capiamo	capissimo
capite	capirete	capireste	capivate	avete capito	capiate	capiste
capiscono	capiranno	capirebbero	capivano	hanno capito	capiscano	capissero

IMPÉRATIF: capisci, capisca, capiamo, capite
GÉRONDIF: capendo

VERBES IRRÉGULIERS

ANDARE, aller.

PRÉSENT	FUTUR	CONDITIONNEL	SUBJ. PRÉSENT	IMPÉRATIF
vado	andrò	andrei	vada	
vai	andrai	andresti	vada	va
va	andrà	andrebbe	vada	vada
andiamo	andremo	andremmo	andiamo	andiamo
andate	andrete	andreste	andiate	andate
vanno	andranno	andrebbero	vadano	

N.B.: andare **a** giocare

DARE, Donner.

PRÉSENT	FUTUR	CONDITIONNEL	SUBJ. PRÉSENT	IMPÉRATIF
do	darò	darei	dia	
dai	darai	daresti	dia	da
dà	darà	darebbe	dia	dia
diamo	daremo	daremmo	diamo	diamo
date	darete	dareste	diate	date
danno	daranno	darebbero	diano	

N.B. **Dammi** (impératif monosyllabique avec pronom).

STARE

PRÉSENT	FUTUR	CONDITIONNEL	IMPARFAIT	SUBJONCTIF	
				PRÉSENT	IMPARFAIT
sto	starò	starei	stavo	stia	stessi
stai	starai	...	...	stia	stessi
sta	starà			stia	stesse
stiamo	staremo			stiamo	stessimo
state	starete			stiate	steste
stanno	staranno			stiano	stessero

IMPÉRATIF: sta, stia (Lei), stiamo, state

N.B. che cosa stai facendo ? qu'est-ce que tu fais? Sto leggendo, je suis en train de lire, je lis.
il treno sta per partire, le train est sur le point de partir, le train va partir.
Come stai? Comment vas-tu? Comme sta? Comment allez-vous?

FARE, faire

PRÉSENT	FUTUR	CONDITIONNEL	IMPARFAIT	SUBJONCTIF	
				PRÉSENT	IMPARFAIT
faccio (fo)	farò	farei	facevo	faccia	facessi
fai	farai	faresti	facevi	faccia	facessi
fa	farà	farebbe	faceva	faccia	facesse
facciamo	faremo	faremmo	facevamo	facciamo	facessimo
fate	farete	fareste	facevate	facciate	faceste
fanno	faranno	farebbero	facevano	facciano	facessero

IMPÉRATIF: fa, faccia (Lei), facciamo, fate   N.B. fammi.
GÉRONDIF: facendo. PARTICIPE PASSÉ: fatto.

DIRE, dire

PRÉSENT	FUTUR	CONDITIONNEL	IMPARFAIT	SUBJONCTIF	
				PRÉSENT	IMPARFAIT
dico	dirò	direi	dicevo	dica	dicessi
dici	dirai	diresti	dicevi	dica	dicessi
dice	dirà	direbbe	diceva	dica	dicesse
diciamo	diremo	diremmo	dicevamo	diciamo	dicessimo
dite	direte	direste	dicevate	diciate	diceste
dicono	diranno	direbbero	dicevano	dicano	dicessero

IMPÉRATIF: di', dica (Lei), diciamo, dite   N.B.: dimmi.
GÉRONDIF: dicendo.
PARTICIPE PASSÉ: detto.

DOVERE, devoir.

PRÉSENT	FUTUR	CONDITIONNEL	IMPARFAIT	SUBJONCTIF	
				PRÉSENT	IMPARFAIT
devo	dovrò	dovrei	régulier	debba	régulier
devi	dovrai	dovresti	(dovevo . . .)	debba	(dovessi . . .)
deve	dovrà	dovrebbe		debba	
dobbiamo	dovremo	dovremmo		dobbiamo	
dovete	dovrete	dovreste		dobbiate	
devono	dovranno	dovrebbero		debbano	

GÉRONDIF: régulier, **dovendo**
PARTICIPE PASSÉ: régulier, **dovuto**

POTERE, pouvoir.

PRÉSENT	FUTUR	CONDITIONNEL	IMPARFAIT	SUBJONCTIF	
				PRÉSENT	IMPARFAIT
posso	potrò	potrei	régulier	possa	régulier
puoi	potrai	potresti	(potevo . . .)	possa	(potessi . . .)
può	potrà	potrebbe		possa	
possiamo	potremo	potremmo		possiamo	
potete	potrete	potreste		possiate	
possono	potranno	potrebbero		possano	

GÉRONDIF: régulier, **potendo**
PARTICIPE PASSÉ: régulier, **potuto**

SALIRE, monter.

PRÉSENT	SUBJ. PRÉSENT	IMPÉRATIF
salgo	salga	
sali	salga	sali
sale	salga	salga (Lei)
saliamo	saliamo	saliamo
salite	saliate	salite
salgono	salgano	

USCIRE (Riuscire), *Sortir (réussir)*

PRÉSENT	SUBJ. PRÉSENT	IMPÉRATIF
esco	esca	
esci	esca	esci
esce	esca	esca (Lei)
usciamo	usciamo	usciamo
uscite	usciate	uscite
escono	escano	

SAPERE, savoir

PRÉSENT	FUTUR	CONDITIONNEL	SUBJ. PRÉSENT	IMPÉRATIF
so	saprò	saprei	sappia	
sai	saprai	sapresti	sappia	
sa	saprà	saprebbe	sappia	sappi
sappiamo	sapremo	sapremmo	sappiamo	sappia (Lei)
sapete	saprete	sapreste	sappiate	sappiamo
sanno	sapranno	saprebbero	sappiano	sappiate

SCEGLIERE, choisir

PRÉSENT	SUBJ. PRÉSENT	IMPÉRATIF
scelgo	scelga	
scegli	scelga	
sceglie	scelga	scegli
scegliamo	scegliamo	scelga (Lei)
scegliete	scegliate	scegliamo
scelgono	scelgano	scegliete

PARTICIPE PASSÉ: scelto

BERE, boire

PRÉSENT	IMPARFAIT	FUTUR	CONDITIONNEL
bevo	bevevo	berrò	berrei
bevi	bevevi	berrai	berresti
beve	beveva	berrà	berrebbe
beviamo	bevevamo	berremo	berremmo
bevete	bevevate	berrete	berreste
bevono	bevevano	berranno	berrebbero

PARTICIPE PASSÉ: bevuto

TENERE, tenir

PRÉSENT	FUTUR	CONDITIONNEL	SUBJ. PRÉSENT	IMPÉRATIF
tengo	terrò	terrei	tenga	
tieni	terrai	terresti	tenga	
tiene	terrà	terrebbe	tenga	tieni
teniamo	terremo	terremmo	teniamo	tenga (Lei)
tenete	terrete	terreste	teniate	teniamo
tengono	terranno	terrebbero	tengano	tenete

VENIRE, venir

PRÉSENT	FUTUR	CONDITIONNEL	SUBJ. PRÉSENT	IMPÉRATIF
vengo	verrò	verrei	venga	
vieni	verrai	verresti	venga	vieni
viene	verrà	verrebbe	venga	venga (Lei)
veniamo	verremo	verremmo	veniamo	veniamo
venite	verrete	verreste	veniate	venite
vengono	verranno	verrebbero	vengano	

PARTICIPE PASSÉ: **venuto**

VOLERE, vouloir

PRÉSENT	FUTUR	CONDI-TIONNEL	SUBJ. PRÉSENT
voglio	vorrò	vorrei	voglia
vuoi	vorrai	vorresti	voglia
vuole	vorrà	vorrebbe	voglia
vogliamo	vorremo	vorremmo	vogliamo
volete	vorrete	vorreste	vogliate
vogliono	vorranno	vorrebbero	vogliano

VEDERE, voir

FUTUR	CONDI-TIONNEL
vedrò	vedrei ...
vedrai	
vedrà	
vedremo	
vedrete	
vedranno	

PARTICIPE PASSÉ:
veduto et **visto**

Quelques *participes passés* **irréguliers**:

aprire, *ouvrir*	**aperto**	prendere, *prendre*	**preso**
chiudere, *fermer*	**chiuso**	ridere, *rire*	**riso**
correggere, *corriger*	**corretto**	rispondere, *répondre*	**risposto**
dipingere, *peindre*	**dipinto**	scegliere, *choisir*	**scelto**
dire, *dire*	**detto**	scendere, *descendre*	**sceso**
fare, *faire*	**fatto**	scrivere, *écrire*	**scritto**
leggere, *lire*	**letto**	spendere, *dépenser*	**speso**
mettere, *mettre*	**messo**	vedere, *voir*	**visto** (et **veduto**)
offrire, *offrir*	**offerto**		

SYNTAXE DU VERBE

SUBJONCTIF

1) Emploi du subjonctif:

Penso (credo) che tu abbia ragione (opinion)
pare (sembra) che tu sia in ritardo (doute, opinion)
temo che il vigile abbia fischiato (crainte)
spero che finisca a mezzanotte (souhait)
non so se sia vero (ignorance)

2) Concordance du subjonctif:

I) **basta** che tu **veda** una cravatta perché tu **voglia** comprarla subito
   bastava che tu **vedessi** una cravatta perché tu **volessi** comprarla subito
   bisogna che tu **parta**   →   **bisognava** che tu **partissi**
   pare (sembra) che **sia** vero   →   **pareva (sembrava)** che **fosse** vero
   Franco **pensa** che tu fumi poco   →   Franco **pensava** che tu fumassi poco

crede	,,	,,	,,	,,	credeva	,,	,,	,,	,,
spera	,,	,,	,,	,,	sperava	,,	,,	,,	,,
desidera	,,	,,	,,	desiderava	,,	,,	,,	,,	
vuole	,,	,,	,,	,,	voleva	,,	,,	,,	,,

   N.B. Imparfait (ou un temps du passé) dans la principale   →   subjonctif **imparfait** dans la subordonnée.

2) Franco **vorrebbe** che Paola non **fumasse** tanto.

   N.B. **Conditionnel** dans la principale   →   **subjonctif imparfait** dans la subordonnée.

3) Emploi du subjonctif imparfait avec se:

   Se fosse possibile **sarei** felice di sentire l'Aida.

FUTUR:

   Anche **se vorrai** non saprai resistere.

IL FAUT

1) **bisogna** partire. **Bisogna** guardare il programma.
2) Vi **occorre** altro? Vi **occorrono** altri libri? (utilité)
3) Con il pesce **ci vuole** il Frascati.
   A mangiar bene **ci vogliono** gli spaghetti alle vongole (condition requise)

TABLE DES ILLUSTRATIONS

Les illustrations des dialogues sont de Pierre Dessons.
Les illustrations des Histoires sans paroles et du vocabulaire complémentaire sont de Claude Lacroix.

Photographies :

TABLE DES MATIÈRES

Imprimé en France — IMPRIMERIE HÉRISSEY, Évreux (Eure) - N° 37314
Dépôt légal : N° 652-5-1985 — Collection N° 95 — Édition N° 12

12/4020/9